Soul Trip

우리 젊은 날의 마지막 여행법

소울
트립

Soul Trip

장연정 지음

북노마드

$Soul \quad Trip$

contents

Part 1 :: 머물기 위해 떠나다

Part 2 :: 여행이라는 이름이 가진 몇 개의 그림자

Part 3 :: 겨우, 사랑하기

Part 6 :: 쓸쓸, 이렇게나 고마운

Part 7 :: 돌아오다, 돌아보다

Part 1

머물기 위해
떠나다

여행.

오래 닫아 두었던 마음에 조심조심 열쇠를 대는 일.

삐거덕거리던 마음이 서서히 열리기 시작합니다.

조금
심심한
지침서

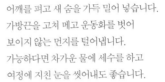

어깨를 펴고 새 숨을 가득 밀어 넣습니다.
가방끈을 고쳐 메고 운동화를 벗어
보이지 않는 먼지를 털어냅니다.
가능하다면 차가운 물에 세수를 하고
여정에 지친 눈을 씻어내도 좋습니다.

귀를 열고 사방의 소리를 듣습니다.
괜찮다, 두렵지 않다, 라고
애써 거는 최면은 좋지 않아요.
벅차면 벅찬 대로, 낯설면 낯선 대로
마주치는 것이 좋습니다.
그렇게 있는 그대로 풍경과 인사합니다.

손가락을 폅니다.
땀 묻은 손가락 사이사이로 흘러가는
바람의 흐름을 감지합니다.
외워두세요.

soultrip

언젠가 그 바람의 흐름을 따라 걸음을 내맡겨야 할 때가 올지도 모르니까요.
손가락 사이의 땀이 말라갈 때쯤, 이제 먼 길을 걸어야 할 때가 왔다고
나 자신에게 인사합니다. 그리고 최악의 순간, 믿어야 하는 것은 결국
나 자신을 향한 믿음이라는 걸 다시 한 번 상기합니다.
준비해둔 지도를 손에 쥐고 몇 장의 지폐와 동전을 세어봅니다.
지금부터 모든 것을 잃어도 아깝지 않으리라 다짐합니다.
호흡에 따라 세상 풍경의 색이 조금씩 변하기 시작할 즈음
마지막으로 '사람'을 가슴 안에 들여놓을 준비를 합니다.

여행. 오래 닫아 두었던 마음에 조심조심 열쇠를 대는 일.
삐거덕거리던 마음이 서서히 열리기 시작합니다.

자, 당신은 이제 인생을 잃아볼 준비가 되어 있습니다.
열이 펄펄 끓어오르거나, 눈앞이 어지러워 예상 못한 곳에서
며칠쯤 쉬어가야 할지도 몰라요.
때로는 무작정 돌아가고 싶기도,
한 곳에 눌러앉아 버리고 싶어지기도 할 테지만
모두, 오래가지 않을 작은 부작용일 뿐이니 걱정하지 않아도 좋습니다.

이렇게 '당신의 여행'은 시작됩니다.

약속하건대, 이 '여행 바이러스'와 함께 시간을 잃아 얻게 될
당신의 인생은 아마 오래도록 건강할 것입니다.
준비되었나요, 자 이제 천천히 첫 발을 내딛습니다.
이제부터 눈앞의 모든 길이 당신의 것입니다.
행운을 빌며.

떠남이
가져다주는
것들

무언가 간절하긴 한데 도대체 그것이 무엇인지 알 수 없을 때.
무엇이 나를 미치게 할 수 있을까 알아보고 싶은데,
그것이 무엇일까 도무지 감이 잡히지 않을 때.

우리는 떠나야 한다.

무언가를 찾고 싶을 땐,
그 무언가가 나에게 어떤 의미를 주는지 알고 싶을 땐,
그것을 떠나보면 된다.

사람을 찾기 위해선 사람을 떠나 보아야 한다.
어느 날 갑자기, 그간 무심히 길러온 선인장에 대한
내 진심을 알고 싶다면, 선인장을 떠나보면 된다.
간단하다.
그것은, 사랑에서도 다르지 않다.

우리가 대책 없이 무언가를 떠나고 싶어질 때,
그것에게 등 돌리기 위해 떠난다고 말하는 것은 틀린 얘기다.
그저, 그것을 찾기 위해,
떠난다고 말해야 옳다.

떠남으로 인해 우리는 '돌아옴'이라는 반의를 배우고,
떠남으로 인해 우리는 '도착'이라는 안락을 배운다.

떠남으로 인해 어쩐지 자꾸 눈물이 난다면 그것은 사람이다.
떠남으로 인해 가슴이 사무치도록 아프다면 그것은 사랑이다.
지금 당장의 의심과 내 안의 질문들을 풀어놓고,
떠나자.
가능한 한 아주 멀리 떠나보자.

그리고 조용한 시선으로 바라보자.
내가 잃고서는 살 수 없는 그것들의 숨소리를 가만히 눈감고 들어보자.

Bob ,
밥

자꾸만 밥을 많이 먹으라며 먹지도 못할 만큼의 식사를 만들어주신다.
풍채만큼이나 커다란 인심.
덕분에 늘 도도하고 심플한 느낌으로 발음해보던
'잉글리시 블랙퍼스트'는 어느새 시골밥상의
포근한 푸짐함의 느낌으로 변해버린다.

영국. 코츠월드의 싸이렌세스터.

그 집에 머무는 동안 나는 내내 배가 불렀다.
아저씨의 맛있는 아침식사에 배가 불렀고,
친절에 배가 불렀고,
그 집을 안고 있는 동네의 따뜻한 풍경에 내내 배가 불렀다.

어느 날, 맛있게 아침밥을 먹다
아저씨의 이름을 물었다.
Bob이란다.

배고픈 삶을 버릴 수 없는 한
영원히 잊을 수 없는 이름이었다.

이토록
흔한
이별

차가운 세수 후, 얼굴에 묻은 물방울들이 천천히 말라 가는 걸 볼 때,
오랜만에 찾아간 명륜동 구석진 카페에 '세놓음'이란
팻말이 내걸려 있을 때,
확장 이전한 단골집에서 오랜만에 맛본 음식의 맛이
불과 한 달 전의 그 맛과 오묘하게 다르게 느껴질 때,

문득 '안녕' 하고 돌아서는 너의 뒷모습에
토이의 노래 한 소절이 간절히 생각날 때,
"그땐 참 설레였다"는 너의 말속에서 시들어 가는 나를 볼 때,
거의 다 된 배터리. 아직 가장 중요한 한 마디가 남아 있는데
더 이상 너의 목소리가 들려오지 않을 때,
어느 날, 엄마가 젊은 시절 신었다는 색 바랜 하이힐이 대책 없이
신발장 위에서 굴러 떨어져 내릴 때,
이사 가는 옆집 청년의 푸른 용달차가 시야에서 점점 사라져 갈 때,
셈이 느린 단골 구멍가게 할아버지의 오래된 계산기를 바라볼 때,
이소라의 노래가 죽도록 듣고 싶을 때,
언니와 나의 어린 시절 사진을 보다 문득 눈물이 솟구칠 때,
길 한복판을 절룩거리며 지나가고 있는 고양이를 볼 때,

넓은 도로 한복판에 떨어져 있는 낡은 운동화 한짝을 볼 때,
그날 그 순간을 담은 사진 속에 새카만 어둠만이 찍혀 나왔을 때,
활주로를 뜨는 순간 붕 뜨는 내 가슴 속에 제일 먼저 내려앉은 이름이
네가 아님을 알게 되었을 때.

보라, 이별은, 어디에나 있다.
이별이란, 이토록 흔한 거였다.

거울

아무리 오래 서로를 바라봐도 닮아가지 않는다.
달라도 그렇게 다를 수가 없다.
그 서글픈 사실에 발이 걸려 우리는 자주 넘어지곤 했다.
자주 싸우고 심심치 않게 이별을 했지만, 정작 나와 비슷한 사람에겐
금세 질려 오래일 수 없었다.
잠시 동안의 이별 뒤 "넌 정말 나와 정반대이지만, 좋아. 어쩔 수 없어"
라는 시시한 말로 되풀이 하던 그 숱한 재회의 순간들.

오늘도 너는 말한다.
"어쩜 우리, 이렇게 다를 수가 있는 거지?
그렇게 오래 보아왔는데. 가끔은 네가 나 같기도 한데."
"그러게."

짧은 대화를 마치고, 우리는 우중충해진 기분이 되어 말없이 걷는다.
각자의 주머니에 두 손과, 이런저런 심정들을 구겨 넣은 채로.
지금 이 순간이 정말이지 따분해 죽겠다는 표정으로.
그런데 걷다보니, 어쩌다보니,
왼발 오른발 잘도 맞춰 걷는다.
어디로 가고 있는지 묻지 않으나 절대 머뭇대지도 않는다.

이때쯤이면, 너는 뜨거운 수제비 국물과 매콤한 깍두기 한 조각을
그리워하고 있을 것이다. 침이 고인다.
금세 편안해진 가슴 속으로 따뜻한 수제비 한 점의 쫀득함이
고파오기 시작한다.

우리는 말도 없이, 예고도 없이, 둘만의 식당을 향하기 시작한다.
얼굴 보기 미워 땅만 보고 있던 내 얼굴에 슬며시 미소가 떠오른다.
자연스럽게 함께 움직이고 있는 마음이 영 감동스러워 가슴이
두근거리기까지 한다.

그래, 사랑이란 그런 것인지 모른다.

너와 나 사이에 잘 닦인 거울 하나를 놓는 것.
그리고 나와 반대인 그 모든 것을 하나하나 인식하는 것.
그 모든 것을 자연스레 사랑하는 것.
다르더라도, 그것 또한 하나의 나임을, 인정하고, 받아들이는 것.

내가 오른 손을 내밀면, 너는 그러한 듯, 왼손을 내미는 것,
그리하여 나와 악수를 하고 서로의 온기를 나누어 갖는 것.

혹시, 잘못된 곳은 없나, 걱정스러운 마음으로 쉼 없이 들여다보게 되는 것.
그러다 새롭게 발견한 아름다운 모습에 가끔은
어깨가 우쭐해지기도 하는 것.

아주 가끔씩 훔쳐보아도, 틀림없이 발견할 수 있는 것.

내가 있는 한 언제나 그곳에 함께 있는 것.

"걱정하지마, 너와 내가 서로 다른 건,
슬프면 눈물이 나는 일만큼이나, 자연스러운 거야."

패킹의
기술

짐을 싸는 데도 기술이 필요하다.
겨우 필요한 것 하나를 가려내는 데 매번 짧지 않은 시간을 고민한다.
버리려 했던 것들도 그 순간만큼은 자꾸 남겨 두고 싶다.
필요 없던 것들도 그 순간만큼은 자꾸 필요해질 것만 같다.

그렇게 버리지 못한 것들로 내내 어깨가 무거웠고,
예상치 못한 곳에서 발이 묶였다.

저가항공을 타고 로마에서 바르셀로나로 향하던 날도, 그랬다.
1인당 하나의 짐. 정해진 부피와 무게를 넘지 않는 한도 내의
규정대로라면 나는 비행기를 탈 수 없었다.
들고 있는 짐 하나를 버리고도 가방 속의 물건 중 몇 개를 더 버려야 하는
상황. 그러나 더 이상 여기서 무엇을 덜어내야 할지 알 수 없었다.

복잡한데다 작기까지 한 공항.
곳곳에 나와 같은 상황에 처한 여행자들이 많았다.
그중엔 이미 버릴 것들을 결정하고 과감히 결심을 실행하는 사람들이
있는 반면 나처럼 막막한 얼굴로 붙박이처럼 서 있는 사람들도 있었다.

그리고 얼마 후 출발 시간이 서서히 다가오기 시작할 무렵,
나는 가방을 열었다.
버리지 않으면 갈 수 없다 생각했다.
버릴 수 있었으니 다시 채울 수도 있다 생각했다.
결심이 서자 모든 게 쉬웠다. 나는 아낌없이 많은 것들을 비웠다.
그렇게 무게가 3분의 1쯤 줄어든 가방을 짊어지고 비행기에 올랐다.
걸음도 마음도 가벼웠다.
버리고 나서야 그것들이 이미 오래 전에 버려야 할 것들이었음을 알았다.
이제야 온전한 나의 무게로 돌아온 기분.
그런 생각이 들자 갑자기 졸음이 쏟아졌다.
그 불편하다는 저가 항공기 안에서
나는 오랜만에 길고 가벼운 단잠을 잤다.

알아두면 편한 패킹의 기술.

첫 번째, 늘 버리며 살 것.
두 번째, 버리는 것들에게 버려야 하는 이유를 붙이지 말 것.
세 번째, 정 그게 안 된다면,
이런 할 수 없는 상황을 만났을 때만이라도
미련 없이 용감하게 버릴 것.
네 번째, 그것이 기억이든 물건이든 가리지 말 것.
마지막, 그것 없이도 잘 지낼 수 있는 나를, 믿을 것.

Part 2

여행이라는 이름이 가진
몇 개의 그림자

길이 있다.

눈에 보이는 모든 곳과, 차마 눈으로 보지 못한 많은 곳에도 길은 열려 있다.

가지 말아야 할 길과, 꼭 가야 할 길.

그러나 아무도 그 선택의 결과는 알려주지 않는다.

곰을
그리는
남자

프랑스 남부. 예술가들의 마을 생폴 Saint Paul.
구불구불 좁게 난 골목길을 돌고 있으면 그 아기자기함과
동화 같은 느낌에 길을 잃어도 마냥 설레고 즐거운 곳.
그곳에 온종일 곰을 그리는 남자가 있었다.
곰돌이를 그리는 화가라니.
한참동안 갤러리 문 밖을 기웃대다 안으로 들어섰다.
하하. 작은 갤러리 가득 크고 작은 곰돌이들이 웃고 있었다.
뭐라 설명하기 애매한 느낌. 다만 착하고 부드럽고 폭신한 것만은
확실한. 사람들은 그 안에서 행복해 하는 듯했다.

그리고 사람들의 이런 반응에도 아랑곳하지 않고 구석에 앉아
열심히 또 하나의 곰을 그리고 있는 화가.

"왜 곰을 그리고 있는 거죠?"
가만히 그림을 바라보던 나는 화가에게 물었다.

"내 곰들을 보면 행복해지지 않나요?"

그는 대답 대신 도리어 웃으며 내게 물었다.
그의 행복한 웃음을 보자, 말문이 막혔다.
더 이상 질문할 수 없었다.

오직 한 가지만을 그리는 화가의 이유 있는 고집스러움에
사람들의 마음이 얼마쯤은 더 따뜻해졌을 것이라 생각하자
마음이 한층 더 보드라워졌다.
그렇게 웃고 있는 곰돌이들을 보며 나도 함께 웃음 짓는 사이
문득 언젠가 읽은 피천득 선생님의 말씀이 떠올랐다.

'세상은 나 잘난 맛에 사는 것이 아니다.
이렇듯, 나를 웃기고 울릴 수 있는 남 잘난 맛에 사는 것이다.'

침묵해야
하는
까닭

너도 한번 가봐. 말로는 설명 못해.
그처럼 이물스런 발언도 없다고 생각한다.
이미 떠나본 자의 오만.
그 사치스런 발언 앞에 듣는 이의 마음은 한없이 작아진다.
누구든 떠나고 싶지 않아 발붙이고 있는 자는 없으므로.

여행에서 돌아와 내내 입을 열지 않았던 이유가 거기에 있었다.
얼마나 전달될 수 있을까, 자신이 없었다.

보고도 보지 않은 듯, 난 아무것도 모른다는 듯.
그저 한동안 이곳을 떠나 저 곳에 발붙이고 왔을 뿐 너에겐 아무것도
설명해 줄 게 없다는 듯, 나는 침묵했다.

내가 본 것들의 진실한 아름다움은 내 가슴 안에서만 빛났다.
밖으로 꺼내는 순간 그것들은 이미 빤한 책 속의 이야기거나
익숙한 사진 속 풍경에 불과했다.
영국의 사이렌세스터 Cirencester 에서 버스를 타고 20분 남짓 달려가
만날 수 있는 곳 바이버리 Bibury.
그곳에서, 누구에게도 들려줄 수 없는 아름다운 동화를 보았다.

아, 누구에게도 이야기 할 수 없겠구나.
그곳에 발을 내딛으며 처음 든 생각은 그랬다. 그곳의 이야기를 꺼내며
끊임없이 이기적이 되는 기분을 이겨낼 수 없을 것 같았다.

곳곳에 백조와 오리가 헤엄치고 맑은 물속에 크고 작은 송어가
가득 뛰어 노는 곳. 몇 백 년의 세월을 안고 서서히 퇴적되어 가는
석회암질의 가옥들이 담 없이 늘어서 있는 곳.
그 무방비한 평화로움 앞에서 나는 이 넘치는 감정의 삽화와 문장의
페이지를 어떻게 정리해야 할까 내내 고민해야 했다.
가만히 눈을 감고 있으면 바람이 지나가고 물이 흘러가는 소리가

들러올 만큼 고요한 마을.

날 선 경계도, 소란한 친근함도 아닌, 그저 넘치지 않을 만큼의

따뜻한 표정으로 외부인들을 바라보는 주민들.

나는 느릿느릿 걸었다. 바쁘게 걸어 다니며 봐야할 것들이 그곳엔 없었다.

다만 느리게 걸음으로써만 보이는 것들이 있을 뿐.

9월의 노오란 햇살을 입은 나른한 영국의 시골 풍경.

누구나 한 번쯤 상상해봤을 그림이 그대로 펼쳐져 있는 그곳에서

나는 복잡한 생각과 할 일들을 잠시나마 잊어버릴 수 있었다.

마을 가운데로 난 작은 강을 따라 걸으며 마을을 돌아보았다.

누군가 커다랗게 숨을 내 쉬며 '내장 속까지 깨끗해지는 기분이야'라고

소리쳤다. 나도 평소보다 크게 호흡하고 있던 탓에 슬쩍 웃음이 났다.

깨끗이 씻어지고 싶은 마음. 메마른 순수의 해갈.

그렇게 나는 바이버리에서 몸과 마음의 정화를 얻었다.

잘 씻겨진 눈과 마음으로 가책 없이 때 묻은 것들을 바라볼

용기를 갖게 되었다.

잔뜩 얹혀 있는 내 속의 체증을 깔끔히 내려 보낸 기분.

이제부터, 그 어떤 고민덩어리라도 거뜬히 소화해 낼 수 있을 것 같은

힘이 생긴 듯했다.

송어 양식을 주업으로 살아가는 마을의 한가운데에는

커다란 송어 양식장이 있었다.

입장료가 따로 있지만, 나는 친절한 주민 한 분의 배려로 공짜로

양식장에 들어가 볼 수 있었다. 짙은 회색빛깔의 매끄러운 유선.

나는 우두커니 앉아 한참동안 송어들의 움직임을 바라보았다.

네가 헤엄치고 있는 그곳이 세상의 끝은 아니야.

하나도 답답해 보이지 않는 송어들의 활기찬 유영을 바라보며 필요 없는
이야기를 중얼거리기도 했다.
그건, 실은, 나에게 해주고 싶은 말이었는지도 몰랐다.
늘 이곳이 아닌 저 너머를 궁금해 하는 삶.
그리하여 이토록 한 곳에 발 붙여 살면서도 늘 불안해 마다하지 않는 삶.

그렇게 바이버리는 사색을 하기에 좋은 곳이었다.
여행의 목적을 무엇도 아닌 '고요한 사색' 안에 맞추고 있는
사람들이라면 그곳이 안성맞춤이라는 생각이다.
싸이렌세스터로 돌아가는 버스를 기다리는 시간까지
작은 야외 카페에 앉아 차를 마셨다.
송어의 마을답게 송어로 요리한 샌드위치며 송어를 재료로 한
갖가지 소탈한 요리와 차를 파는 곳이었다.
누울 수 있는 자리가 있었다면 차를 마시지 않고 한숨 자도
좋았을 테지만 그러지 못했다.
나는 푸른 사과 하나와 얼그레이 한 잔을 시켜놓고 사방의 초록을
다시 한 번 눈에 담았다.
언제 다시 돌아올 수 있을까.
나는 아주 천천히 그 아름다운 마을을 내 마음 속의 캔버스에
수채로 그려 넣었다.
한없이 투명한, 깨끗한 아름다움.

그러나 그것은 영원히 누구에게도 보여줄 수 없는 그림이 되었다.
가끔 홀로 들춰본 뒤 다시 덮어둘 나만의 기억.
설사 누구에게든 이야기 해준다 해도 내 가슴이 아니면 되살아나지
않을 그 느낌.

듣는 이에게도, 말하는 이에게도 모두 억울할 뿐인 이야기.
우리가 때로 아름다운 풍경 앞에 영원히 침묵해야 하는 까닭이다.

그런 이유인지 나는 아직도 바이버리의 풍경을 떠올리면 절로
입이 다물어진다.
그 아름다운 파리에 대해서도, 프라하에 대해서도 머뭇대지 않는
내가 유일하게 속 시원히 말하지 못하는 곳.
아름답고 아름다운, 영국 코츠월드의 바이버리.

E.U.R.O 有路

길이 있다.
눈에 보이는 모든 곳과, 차마 눈으로 보지 못한 많은 곳에도
길은 열려 있다.
가지 말아야 할 길과, 꼭 가야 할 길.
그러나, 아무도 그 선택의 결과는 알려주지 않는다.

밀레니엄을 맞이한 뒤 몇 해가 지난 가을.
나는 꼬깃한 유로 몇 장을 주머니 속에 꼭 쥔 채,
수없이 많은 길을 걸었다.

많은 시간 나를 주저앉게 했고,
대부분은 막다른 곳으로 나를 몰아넣었으며,
때로는 잘 도착했으니 이제 그만 쉬려주며 힘 풀린 무릎으로
주저앉게 만들었던 길들.

수없이 돌아보고 싶었고, 돌아볼 수 없는 곳에서는
그저 앞을 향해 가면서도 뒷걸음질 치는 마음을 애써 다잡느라
뜨겁고 짠 눈물을 오래 훔치기도 했던 길.
곳곳이 해진 지도를 사방으로 돌려가며 걸었던 길들을 떠올린다.

그리고 꼼꼼히 마주하지 못한 채 그저 성의 없는 한숨만을 흘려놓고
돌아온 그 수많은 길들을 떠올리자 문득, 미안한 마음이 솟구친다.

정해놓은 목표물만을 향해 걷는 동안 그저 정신없이 스쳐 지나왔던
수많은 길들에게 다시 한 번 미안한 마음을 전하기 위해서라도,
그 수많은 길 위에 놓일 하찮은 낙서 하나가 되기 위해서라도
나는 다시 한 번 길을 나서야 한다고 생각한다.

땀이 스며들어 꼬깃해진 하루치의 유로를 들고 길을 나서는 내게
세상은 유로라는 푸른 신호등을 띄워 보낸다.
길이 있음. 그러니 멈추지 말고 걸어 갈 것.
가끔은 쓰러져보기도, 마음이 내키면 미친 듯 뛰어보기도 할 것.
가끔은 돌아가야 하거나 막다른 곳을 만날 수도 있지만 포기하지 말 것.
그렇게 길을 만날 것. 후회 없는 생을 살아갈 것.

살아 있는 두 발로 당해내지 못할 일이란 없다.
그저 걸어야 할 길이 있을 뿐이다.

아직은

아직은
어떻게든 설명이 가능한 일보다
어떻게 해도 설명이 불가능한 그런 일들이 내 앞에 많이많이
벌어졌으면 좋겠다.

아직은 예고 없이 상처입고 비틀대며
예상치 못한 습득의 즐거움으로 눈을 번뜩여대는
불안할 만큼 싱싱한 삶을 살고 싶다.

누가 뭐래도 나는 내 청춘을 마음껏 살았다고,
그 비리도록 싱싱한 청춘의 잎맥에 푸른 햇살 마음껏 쬐어주었다고.
그렇게 마음껏 깨어지고 부서졌었다고,
그 상처로 단단해지고 보란 듯 이렇게 잘 견뎌냈다고, 어물었다고.
먼 훗날 내 앞의 너에게, 네 앞의 나에게 부끄럽지 않고 싶다.

스물아홉, 아직은, 더 상처받아야 할 때다.

나의
마음을
연주해

니스Nice.
한바탕 폭우가 몰아친 후의 해변.
어디선가 낮은 색소폰 소리가 들려온다.
내 두 발을 단숨에 묶어버린 그 소리.
가던 길을 갈 수 없었다.
그 소리로 하여금 가야 할 길이 새로 생겨버렸기 때문에.

폭우를 이겨내며 걸어온 내 몸은 이미 구석구석 모두 젖어 있었다.

그러나 젖어 있는 건 비단 몸 뿐만은 아니었다.
그때 나는, 드넓은 바다를 바라볼 때마다 울컥울컥 올라오는
수많은 이름 모를 것들을 토해내기 위해 숨을 곳을 찾고 있었다.
그리고 가능하다면 토해낸 그 하나하나에 '이미 상해 더는 삼켜둘 수
없는 기억' 같은 유치한 이름표를 붙여주고도 싶었다.

소리를 따라 걸었다.
그리고 오래지 않아 그 소리가 시작되는 곳을 찾을 수 있었다.
폭우가 내린 프랑스 남부의 지중해, 그 풍경의 끝.

색소폰을 부는 남자.
나는 어쩌지도 못하고 그 풍경을 바라봤다.
바다를 향해 소리를 모아내고 있는 그 남자.
남자의 앞으로,
굽이치는 파도가 알 수 없는 음표의 어지러움으로 흩어지고 있었다.

재즈였다.
어쩌면 한두 개 정도의 반복적인 스케일에 그칠지도 모를 정도의.
좋다, 라고 밖에는 표현할 수 없다는 생각이 들었다.
바다와 그와 색소폰과 때마침 울고 싶어 하는 내 가슴이 있었으니,
부족할 건 더 이상 없었다.

나는 그렇게 한참 동안 그를 관찰했다.
그리고, 내 가슴 속 뜨겁고 커다랗게 부풀어 오르는 그 무엇의 정체를
알 수 없어 혼란스러워 하고 있을 무렵 그에게 다가가 물었다.

"What are you playing?"

살며시 미소 짓던 그가 대답했다.

"Just my heart."

나는 웃지도, 울지도 못하고, 가만히 서 있었다. 그러기만 했다.
그때 알아온 그의 이름과 사는 곳 같은 것들을 나는 모두 잊어버렸다.
부러, 그리했다.

그와 그의 색소폰과 바다.

그때의 모든 세상을 기억하기엔 그 세 가지면 충분했으므로.

마리오 씨에게

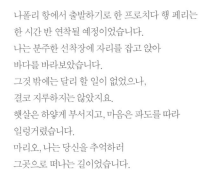

나폴리 항에서 출발하기로 한 프로치다 행 페리는
한 시간 반 연착될 예정이었습니다.
나는 분주한 선착장에 자리를 잡고 앉아
바다를 바라보았습니다.
그것 밖에는 달리 할 일이 없었으나,
결코 지루하지는 않았지요.
햇살은 하얗게 부서지고, 마음은 파도를 따라
일렁거렸습니다.
마리오, 나는 당신을 추억하러
그곳으로 떠나는 길이었습니다.

프로치다 행 페리는, 이스키아 섬에 한 번 들른 후
프로치다에 최종 도착했습니다.
소박한 어촌.
싫지 않은 비린 바닷내와 지중해의 햇살에 그을린
건강한 바다 사람들.

숙소를 구하기 위해 들른 여행사 겸 인포메이션 센터에서,
나는 제일 먼저 당신의 흔적이 묻은 곳곳에 대해 물었습니다.
얼굴에 환한 미소를 띤 여직원은 내게 반은 아쉽고,
반은 반갑게 설명해주더군요.
일 포스티노(Il Postino).
당신이 나오는 영화의 대부분은 이곳 프로치다 섬이 아닌
시칠리아에서 촬영된 것이라고.
하지만 이곳에서도 당신의 흔적을 만나볼 수 있다고 했습니다.
커다란 지도를 펴고, 그녀는 어설픈 영어로 무척이나 오랫동안
섬 이곳저곳에 대해 설명해주었습니다.
중요한 곳엔 까만 별을 그려 넣으면서요.
설명을 마칠 때쯤 지도는 온통 까만 별로 가득했어요.
나는 거대한 우주 하나를 선물 받은 기분에 가슴이 두근거렸습니다.

이곳에서 나는 작은 원룸을 하나 빌리기로 했습니다.
예쁜 부엌과 마당이 딸린 주택의 일층이에요.
선착장 근처의 슈퍼에서 파스타와 치즈 등을 사고 픽업을 나온
주인의 차에 몸을 실었습니다. 차를 타고 좁은 골목을 돌고 돌아
얼마쯤 갔을 무렵 주인이 넌지시 묻더군요.
왜 프로치다까지 오게 되었느냐고.
나는 머뭇거림 없이 대답했습니다.
일 포스티노를 좋아해서. 마리오를 만나고 싶어서.

그가 웃더군요.

대부분의 관광객이 나처럼 대답하는 모양이었습니다.
집에 도착해 열쇠를 건네주던 그는 내게 중요한 비밀이라도
이야기하듯 말했습니다.
이곳에서 골목을 지나 한 방향으로 걸어 가면,
마리오가 파블로 네루다에게 들려주기 위한 소리들을 녹음하던
바다가 나온다고. 절벽이 아주 아름답다고.
혼자 울기에도, 혼자 웃기에도 아주 좋다고.
단 돌아오는 길엔 가로등이 몇 개 없으니
되도록 일찍 돌아오는 게 좋다고.

대충 저녁을 챙겨먹은 뒤, 손전등을 챙겨들고 바다를 향해 걸었습니다.
파도소리, 바람소리, 새들의 울음소리.
걷는 내내 그런 것들에게 귀를 기울였습니다.
얼마쯤 걸었을까.
근처에 도착하자 '일 포스티노'라는 푯말이 붙어 있는 모래사장이
나타났습니다.
이럴 수가. 그곳이더군요.
인적 없는 바다가 주는 느낌은 오묘했습니다.
좀처럼 발이 움직여지지 않는 꿈처럼, 싫었던 사람을 사랑하고 있는
꿈처럼.
딱히 이야기를 나눌만한 사람도 없었기에
나는 모래 위에 자리를 잡고 앉았습니다.
노을과 바람. 고요.
까맣고 누런 모래알갱이들이 시간과 함께 내 눈 속에서 스러졌습니다.

그때 나는 스물이었습니다.
누구보다 예민했고, 눈물도 배로 웃음도 배로 많았던
못생긴 여자아이였어요.
곁에 아무도 없던 대학 1학년의 자취생 시절, 잠이 오지 않아 찾아간
DVD방에서 당신을 처음 보았습니다.
영화를 보던 그날 밤, 나는 오래도록 잠들지 못했던 것 같아요.
해가 뜰 때까지 '사랑'이라는, 그 잠히지 않는 것에 대해 번민했던 것
같아요.
구겨진 이불 사이로 얼굴을 묻고 그를 생각한 것 같아요.
스무 살, 그때의 난 가질 수 없는 사람을 사랑하고 있었습니다.

해가 거의 넘어갈 무렵, 나는 손전등을 켜고 숙소로 돌아왔습니다.
어둑한 골목길이 무섭지 않았던 건, 바람소리가 있었기 때문이었어요.
나에게 들려주는 당신의 안부 같은….

아름다운 베아트리체가 일하던 식당은 이제 너무나도 낡고,
관광지나 다름없는 카페로 변해 있었습니다.
휴가철이 아니어서인지, 관광객들의 모습조차 뜸한 이곳에서 그곳은
더욱 남루해보여 서러웠습니다.
당신의 삶이 짜여지고, 사랑이 완성된 곳.
나는 문이 굳게 닫힌 그 카페 안을 오래도록 들여다보았습니다.
누군가 저녁이 되면 문을 열거라 했지만, 괜찮았어요.
남은 기대마저 허물어지는 모습을 볼 자신이 없었거든요.
카페를 등지고 지도를 펴 우체국을 찾습니다.
오직 한 사람을 위한 우편배달부.

정말이지 그건 아무리 생각해도 덜컥 눈물 나는 일이지요.
당신이 네루다에게 전해줄 우편물을 받던 그곳.
나는 그곳을 가장 찾고 싶었습니다.
그러나 걷고 걸어도, 지도에 까만 별로 표시된 그곳은 반나절이 되도록
나타나지 않았습니다. 영어에 익숙하지 않은 이곳 사람들 역시
저의 질문엔 속수무책이더군요.
아마도 그곳은 원래부터 이곳에 없었거나 오래 전에 없어진 모양입니다.
그렇게 나는 까맣게 칠해진 그 별 속에서 혼자 외로웠습니다.

마을버스L1를 타고, 지도 속의 검은 별 중 하나인 PORTO TURISTICO
DI MARINA CHIAIPLEELA에 갑니다.
인포메이션 센터의 여직원이 프로치다 내에 있는 가장 아름다운
항구라고 일러주었던 곳이었습니다.
하지만 도착해 바라본 그곳은 이미 식상한 풍경일 뿐, 그 어느 것도
아름답지 않더군요.
아름다운 것과 덜 아름다운 것.
오래 여행을 하는 사이 내 마음은 그것들의 경계를 잊어버린 모양입니다.

뜨거운 태양 아래 몸 구석구석이 휘청거릴 무렵, 항구 앞 작은 식당에
앉아 맥주 한 잔을 했습니다.
그리고 그 시절, 가질 수 없던 그 사람에게 수없이 써내려갔던
연애 시들을 떠올렸지요.
그러나 기억 속에서 그때의 절실함은 이미 너무나도 멀리 가물거리고
있었습니다. 당신이 네루다의 시를 베아트리체에게 전할 때처럼,
나도 그랬는지 모르겠습니다.

나와 닮아 있는 시들을 모조리 베껴 무늬가 예쁜 종이 위에 옮겨 적기를
여러 번. 하지만 그에게 전해주지는 못했어요.
그렇게 주인을 잃은 연애 시들은 내 서랍 속에 조용히 쌓여갔습니다.
자신의 시를 베껴 연애편지를 쓴 당신을 나무라던 네루다에게
당신은 말했지요.
"시란 시를 쓰는 사람의 것이 아니라, 그 시를 필요로 하는 사람의
것입니다."
나는 당신의 그 말을 내내 가슴에 담고 있었어요.
스무 살 그 시절, 그리하여 온 세상의 연애 시는 다 나의 것이 되었습니다.

맥주를 다 마시고, 나는 버스를 타러 돌아가지 않았습니다.
이 섬 전체를 돌아보기로 마음먹은 거예요.
걷다보면, 출발했던 곳으로 돌아가겠지.
어차피 이곳은 섬일 뿐이니까요.
섬 전체를 돌아보는 데는 대략 5시간 정도가 소요되었습니다.
넓게 펼쳐진 해안도로를 따라 섬의 바깥을 걷는 시간 동안,
나는 잠시 주저앉기도 눈을 감고 바람의 소리를 듣기도 했습니다.
끝없이 펼쳐진 푸른 바다.
바람의 냄새와 바람이 들려주던 풍경의 노래.
겁 없게도 그 순간, 나는 내가 살던 곳의 기억을 영원히 잊었으면
싶었습니다.

프로치다를 떠나기 전 날.
나는 다시 한 번 당신이 네루다에게 전해줄 소리를 녹음하던
바닷가를 찾았습니다.

그곳에서 그에게 전화를 걸었습니다.
그러나 조용히 밀려오고 밀려가는 파도소리는 아무리 애를 써도
전화기를 건너 그의 마음에까지 가 닿지 않는 모양이었습니다.
나는 자꾸만 '들리니, 들리니?'라 물었고, 그는 '아니, 아니'라고
대답했으니까요.
괜찮다고 생각했습니다.
지금 이 순간 나의 안부를 내가 숨 쉬고 있는 이 공기를 생생히
공유하고픈 사람이 있다는 사실 만으로도 나는 행복했으니까요.

누군가를 기다리는 마음은, 누군가에게 궁금해지도 않을
내 안부를 전하는 마음은 그리하여 이미 사랑입니다.
돌아오지 않는 것을 기다려본 사람은 다 알겠지요.
가질 수 없는 것을 향해 오래도록 손 뻗어 본 사람은 다 알겠지요.

별이 유난합니다.
붉게 타들어가는 노을도, 새겨지다 이내 지워져버리는 모래 위의
발자국들도 눈물겹습니다.

프로치다를 떠나 나는 시칠리아에 갈 예정입니다.
그곳에서 당신의 흔적을 찾지는 않을 테지만, 내내 기억하고
있을 것입니다.
치료제조차 필요 없이 그저 앓고 싶다던, 사랑에 빠졌다던
당신의 선한 그 눈동자를 기억하며 나 역시 방법 없이 오래도록
앓다을 생각입니다.

마지막으로 프로치다를 떠나며 손을 흔들고 있는 이 순간.

나는 다시 한 번 이 세상의 모든 기다림이 승리하기를 소망합니다.

이곳까지 나를 데려와줘서 고마워요.

영원한 나의 그리움 배달부.

선량한 일 포스티노, 마리오씨.

I Love…

여행 초기, 갑작스레 달아났다 어느새 조금씩 고개를 내밀고 있는
내 왼쪽 엄지발톱을 사랑한다.
낯선 이에겐 그보다 더 낯선 눈빛으로 밖에 인사 할 줄 모르는
못난 내 사교성을 사랑한다.
이른 새벽, 갑자기 눈을 떠 창문을 열어보는 일을 사랑한다.
때로 그 창 너머 보이는 생경한 타지의 아침 안개를 숨 쉬어 보는 일을
사랑한다.
아무리 날아도 밝기만한 비행기, 그 작은 창밖의 눈부심을 사랑한다.
구석구석 모난 못된 나를 위해서도 온종일 돌고 있는 둥그런 지구를
사랑한다.
많은 시간 내가 발을 붙인 모든 도시, 그 길 위의 모든 술집을 사랑한다.
그 술들이 불러왔던 웃음과 눈물을 사랑한다.
80여 일 동안이나 내 가방 속에서 떠나지 않아준 낡은 볼펜 한 자루를
사랑한다.
그 볼펜으로 적어 내려간 시와 고백, 그 부끄러운 화끈거림을 사랑한다.
20킬로그램의 짐을 묵묵히 견디면서도 사라지거나 불평 한 마디 없는
나의 낡은 배낭을 사랑한다.

시간과 함께 닳아가는 신발 뒤축을 바라보는 일을 사랑한다.
가벼운 것들에게 베이고 쉽사리 아물지 못하는
병약한 내 마음가짐을 사랑한다.
싫으면 금세 얼굴에 티를 내고 좋으면 마음 깊숙이 그 기쁨을
숨기고 마는 청개구리 같은 내 습성을 사랑한다.
낯선 도시에서 우산 없이 걷고 있을 때 하나둘 씩 켜지는 가로등을
바라보는 일을 사랑한다.
처음 만난 도시의 새로운 인사말을 발음해 볼 때의
낯선 혀의 움직임을 사랑한다.
그 소리의 파동이 주는 신선함을 사랑한다.

무엇보다,
내가 아니면 그 누구도 감당해내지 못할 것 같은
나의 쉴 새 없는 외로움을 사랑한다.

시작
혹은
끝

고개를 저으며 살아온 시간이 길었어.
그렇다기보다, 아니라 생각해온 순간이 많았던 거야.
그렇다 했던 것이 아닐 때보다, 아니라 했던 것이 아닐 때,
왠지 덜 손해 보는 것 같은 기분이었거든.

워낙 겁이 많은 성격이기도 하고, 도무지 불운을 이겨낼 수 있는
긍정이 없는 성격이기도 해. 대체로 소심해서 고생해온 타입이었지.

무엇보다 사랑이 그랬어.
열이 올라 잠들 수 없는 데도 할 수 없는 말들이 늘어가는 데도
잘 사는 척했어.
'이쯤이야, 사랑이라고 말 못해. 아닐 거야 아닐 거야'
기우뚱거리면서도 바로 걷는 줄 알았어.
숨은 쉬고 있으니, 그깟 사랑쯤 아니어도 살 수 있구나 생각했었어.
맘먹고 고개를 저으니, 다 아닌 것이 되어버렸어.

그렇게 놓쳐온 사랑이 얼마나 될까, 아마 짐작할 수도 없을 거야.
너무 한 방향으로만 살아온 것 같아.
너무 상처 없는 화초이고 싶었던 것 같아.

지난 몇 번의 실패와 거절 속에서 너무 오랫동안 빠져나오지
못했던 것 같아.

도망치느라 고개 젓느라 뿌리쳐온 인연들을 돌아보자니 아찔해졌어.
채 발견하지 못한 내 운명을 송두리째 도둑맞은 기분.

이제와 누굴 원망할 수도 없는 일.
다 내가 만들어온 일.
그러니 우리, 더 늦기 전에 생각해두자.

아니라고 생각하는 순간 많은 것이 끝나거나 변하듯이.
그렇다고 생각하는 순간 역시 많은 것이 달라지거나 변한다는 것.

어쩌면 지금 이 순간에도 이 세상 사랑의 절반쯤은 짝사랑이란 착각으로
허무하게 끝나고 있는지도 모른다는 것.

그 불행의 주인공이
너이거나, 나일지도 모른다는 것.

이 순간은, 내 나이는 다시 돌아오지 않는다는 것.
한번 어긋난 인연을 기다리기 위해선 억만 년의 억겁을 다시 기다리고, 기
다려야 한다는 것.

무엇보다,
어쩌면 다음 세상에서 우리는 서로를 알아보지 못할 수도 있다는 것.

이유들

가만히 앉아 이쯤에서 돌아가야 하는 이유를 생각하고 있어.

무게가 3분의 1쯤 줄어든 가방과, 아직 보내지 못한 엽서들을
정리하는 사이 새벽이 오고 비가 내렸어.
걷어 부친 소매 아래로 드러난 팔뚝에 도도록 소름이 돋아 올라.
추운 데도 추운 줄 모르고 정리를 하는 손은 분주하면서도
그렇다 할 성과는 내지 못하고 있어.
풀었다 다시 싸기를 여러 번.
이렇게 분주히 움직이면서도 사실 멈춰 있는지 몰라.
내 안의 대답을 정리하고 있는지도 몰라.
결코 차곡하게 접어질 수 없는 것들.
너무 무겁고 가벼워 차마 버릴 수도, 챙겨 넣을 수도 없는 것들.

여행을 떠나 운이 좋으면 몇 번의 연애를 할 수도 있을 거라 생각했던 건,
이제 얼마 남지 않은 내 생생한 이십대의 마지막을 화려하게 장식하고 싶
었던 얕은 치기, 아마 그쯤이었을 거야.

10월의 마드리드Madrid.

너를 만나 이름도 모르는 그 거리에서 쉴 새 없이 이야기를 하고, 웃고,

몇 잔쯤의 상그리아를 들이키는 동안, 나는 떠나왔다는 사실을 실감했어.

주위를 둘러보아도 온통 낯선 것들 뿐이었거든.

낯선 땅.

낯선 너와, 낯선 나.

낯선 공기.

그리고 낯선 설렘.

사시사철 따뜻한 바람이 분다는 너의 나라.

그곳의 이야기를 들을 때면 정말로 어디선가 따뜻한 바람이 불어오는 것

같아 잠시 얼굴이 붉어지기도 했지.

추위가 없는 나라. 열두 달 하나의 계절을 가진 나라.

가능하다면 그 남쪽의 온기 속에서 사철 푸른 사랑을 하고 싶었어.

너를 만나는 며칠 동안은 정말 이미 그곳에 발을 디디고 있는 것 같기도

했지. 없던 땀이 흐르기도 했고, 밤새 열이 올라 잠 못 들기도 했던

날들이었어.

하지만 지금의 나는 가만히 앉아 이쯤에서 돌아가야 하는 이유를

생각하고 있어. 미친 척 너를 따라 내 인생의 얼마를 돌이킬 수 없는

선택의 길에 부려놓을 수도 있지만, 짐짓 낯선 타지에서 들뜬 기분으로

만난 너를 따라가고 난 뒤, 너에게 고백해야할 나라는 아이의 무게가

가늠되지 않았어.

겁이 났어.
나는 결국 '현실'이라는 땅 위에서 한 걸음쯤 위로 떠 있는
나약한 현실 부적응주의자일 뿐일텐데,
언제까지 너라는 환상 위에 떠 있을 수 있을까.
아마 오래지 않을 거라 생각했어.
보이고 싶은 나를 흉내 내며 새로운 나를 발견한다는 착각으로
여행을 마치곤 하는 사람들처럼 되긴 싫었어.

그건 어쩌면, 유쾌한 자유가 아니라 서글픈 자기 배신일지도 몰라.

어쩌면 사철 식지 않는 바람처럼, 영원히 식지 않는 사랑을 하며
살 수 있을지도 모르지만, 나는 문득 그 선택의 후회로 고개를 숙이는
나를 만나고 싶지 않았어.

우리는 딱 이만큼의 술을 함께 마시고, 이만큼의 대화로 목청을
드높여 웃고, 가끔씩 떠올렸을 때 가물거리는 얼굴 하나쯤으로 남는 게
옳을 거란 생각을 해.

추위로 몸을 웅송거리는 날엔, 사철 따뜻한 바람이 부는
너의 나라를 생각하고, 몇 년이 지나 낯선 땅의 지폐를 들고 찾아간
선술집에서 우연치 않게 또다시 너를 만나는 그런 날을 상상하면서.
어쩌면 "언젠가 본 것 같은데?"라는 바보스러운 인사로 서로의 가슴을
다시 한 번 치게 되는 날이 오길 기다리면서.
그런 쉽지 않은 우연을 기다리면서.

그래서 나는 이렇게 가만히 앉아 너를 좋아해서는 안 되는 이유를
애써 생각하는 중이야.
이쯤에서 그만, 내가 떠나왔던 곳으로 돌아가야 하는 이유를
생각하는 중이야.

Part 3

겨우, 사랑하기

다시 가방을 메고 기차역으로 향하는 길.
너라는 이름 속에 함몰된 내 청춘의 껍데기,
그 마른 기억이 먼지바람에 내내 두 눈이 따끔거렸다.

세상
어디에도 없던
연인

겨울. 알 수 없는 길의 끝.
아직 따뜻했던 차의 보닛. 너와 난 그 위에 길게 누워 있었지.

서로의 팔에 머리를 올리고, 수줍게 발음해보던 은.하.수 세 글자.
혀끝으로 튀어 오르던 눈부신 우주의 멜로디.
"천국이 있다면 아마 저 하늘 저기 어디쯤일 거야."
그때 너의 두 번째 손가락 끝에 걸리던 별의 무리들.
"다음 생엔 별로 태어나 마음껏 빛을 내고, 그 다음 생엔
다시 별을 보는 이로 태어나 전생에 뿜어내었던 빛을 받으며 살고 싶어."
너의 말에 조용히 폭발하던 나의 우주.

그 순간 우리는 세상 어디에도 없던 연인,
난 참 행복했었어.

낡은 너의 티셔츠. 해진 소매 끝에서 꿈꾸던 고단한 로맨스.
"너와 함께라면 난 함부로 꿈을 가져 볼 수도 있어."
사르륵 타들어가는 너의 담배와 톤이 높은 나의 웃음소리.
점점 얽혀가며 서로를 탐하던 주제 잃은 대화들.
어느덧, 멀리서 아침 해가 떠오르기 시작했을 때,

우리는 기다렸다는 듯 볼륨을 높였지.

숨죽여 떠나보내던 스물일곱의 마지막 날, 키런지의 '에이리언'.
가난했던 주머니와 내일과 약속할 수 없던 오늘.
너의 두 눈 속에서 음악을 발견하고 발 닿는 모든 곳에서 시詩가
피어나던 그날의 새벽.

생각해봐.

사랑이 아니고 무엇이겠니.

No Problem

프라블럼? 콜 미.
콜 미? 노 프라블럼.

몬탈치노의 와인 농가 숙박 집에 짐을 풀던 날,
주인아저씨의 인사말이었다.

문제가 생기면 전화해. 전화를 하면? 문제없지.
아, 이 얼마나 간결하고도, 든든한 말인지.

시내 중심에서 미니버스를 타고 한참을 들어가야 발견할 수 있는
시골 속의 시골.
그러나 주인 아저씨의 그 말을 듣던 순간 이 드넓은 포도밭조차도,
두 계절쯤의 먼지가 앉은 이 숙소도 인적 없는 길들과, 낯선 동물들의
울음소리마저도 겹나지 않았다.

짐을 풀고, 파스타를 삶고, 알 수 없는 내용의 TV를 보면서
나는 내내 아저씨의 목소리를 떠올렸다.
노 프라블럼. 문제없어. 다 괜찮아.

들쑥날쑥 써온 돈들을 계산하고, 남아 있는 날들을 세어두고,
예정된 계획을 취소하고 추가하는 동안에도 나는 버릇처럼 입엣말을 했다.

노 프라블럼. 문제없어.

그러다 문득 내 가슴을 친 생각.
이토록 편한 말인 줄 알았다면, 이토록 상대방으로 하여금
겁을 달아나게 하는 말이었다면, 자주 해줄 걸.
나도 한 번쯤은 너무 시시해서 더욱 꺼내기 어려웠을지도 모를
너의 불안함들에게 보란 듯이 큰소리로 외쳐줄 걸.
노 프라블럼. 문제없어. 다 괜찮아.

약한 사람이란 걸 알고 있었는데.
생각만큼 마음 구석구석 건강한 사람이 아니란 것도 알고 있었는데.

문제란, 문제없어 라며 그 문제를 감추는 데서부터 시작된다고
생각했었다.
노 프라블럼. 그 시절 그 말은 나에게 대책 없는 허세였다.

아쉽게도 그때의 나는 한 번도 너에게 '다 괜찮아'라고 말해주지 못했다.
너 역시, 마찬가지.
우린 필요 이상으로 너무 솔직한 연인이었다.
책임질 수 있는 말에만 겨우 손 내밀던.
그리하여 늘 그만큼의 사랑 아래를 밑돌다 돌아서버린.

그 쉬운 허세를 왜 한 번도 부려보지 못했을까.
내가 있으니 다 괜찮아. 문제없어.
그 달콤한 허풍을 왜 한 번도 떨어보지 못했을까.

창문을 열고 촘촘히 박힌 별을 올려다보았다.
깨끗하고 흰 토스카나의 별.
그 시절 너와 나에게 그토록 필요했던 그 말이 무엇이었는지
확연히 알아버린 시간.

나는 다짐했다.

이제 다시 사랑한다면 그 사람에게만큼은 기분 좋은 허세를 부려주리라.
내가 있으니 다 괜찮아. 노 프라블럼.
주인아저씨처럼 겁날 것 없단 표정으로,
책임질 수 없는 현실일지라도, 도무지 이겨낼 수 있을 것 같지 않은
걱정거리 앞에서도
노 프라블럼.

다 괜찮아. 다, 괜찮아.
널 사랑하니까, 내가 있으니까, 다 괜찮아.

꽃을
심다

꽃을 심고 싶었다.
차마 발을 뗄 수 없는 많은 곳에 마지막 인사 대신
허리 숙여 작은 꽃씨 하나를 묻고 싶었다.
가벼이 눌러 담아온 사진에서든,
어렴풋한 기억 속에서든
나는 그곳을 기억할 것이나,
그곳은,
내가 본 그곳은, 그 무엇으로 이 보통의 나를
기억해줄까 싶어서였다.

스페인 안달루시아의 작은 소도시 론다.
가파른 절벽 위에 지어진 아름다운 도시.
절벽을 타고 내려와 위를 올려다보면,
마치 신의 손 위에 지어진 듯,
축복이라는 단어가 절로 떠오르는 곳.
그 단어에 떠밀린 가슴이 내내 숙연해지던 곳.
그곳에 꽃씨 몇 알을 심어 두었다.
겹겹이 펼쳐진 꽃잎이 흡사 개화된 장미를 연상시키는 모양.
한국에 돌아와 그 꽃이 '아잘레아'라는 이름을 가졌다는 걸
알았다.

비가 내리고 태양이 내리면 이내 잎이 돋고 꽃이 피겠지.
지친 여행자의 시선이 잠시 쉴 수 있는 곳이 되기도,
코가 축축할 때 묻은 강아지의 장난거리가 될 수도 있겠지.
어쩌면 땀내 시큼한 설익은 소년의 첫 고백에 한몫 단단히
할 지도 모른다.

언젠가 다시 그 도시를 찾았을 때, 이미 그 자리가 온 데 없이
사라졌다 해도, 이미 시들어 죽어버렸다 해도,
아니면 꽃잎조차 제대로 틔워보지 못한 채 말라버렸다 해도 괜찮다.

내가 모르는 사이, 한 철 처절히 피었다 죽었으려니,
생각하면 그만일 것이다.

생각만으로도 울컥해지는 일.
이 세상 어딘가에 내가 심은 꽃이 피어나고 있다는 생각.
그 땅과 나만이 아는 비밀 하나를 조용히 심어두고 왔다는 그런, 생각.
내가 이렇게 풀이 죽어 있는 지금에도,
어쩌면 그 꽃만은 태양을 좇아 세상을 향해 온몸을 풀어헤치고
있을지도 모른다는 생각.
이런 생각을 하면 가난했던 가슴이 넉넉해진다.

나도, 누군가를 향해
서슴없이 가슴을 여는 꽃 한 송이가 되고 싶다는
생각을 하게 된다.

야간열차
로맨스

자꾸만 줄어가는 통장 잔고를 확인한 뒤 할 수 없이 선택한 야간열차.
그 선택의 여지없음을 '운명'이라 부르는 게 좋아.

어쩌면 다시는 마주치지 못할 낯선 도시의 깊은 밤을 스쳐가는 일도 좋아.
그 차창 밖 풍경에게 '안녕'하고 쑥스럽게 손 인사를 건네는 순간도 좋아.

어떤 사람들과 이 밤을 함께 할까, 걱정 반 기대 반으로 두근대는 가슴에
손을 대보는 것도 좋아. 그러다 내가 앉아 있는 칸에 불쑥 들어온
누군가와 어색하게 눈을 맞춰 인사하는 순간도,
무언가 얘기하고 싶지만, 몸과 마음에 가득 찾아온 밤의 기운으로
조용히 눈을 붙이기 시작하는 사람들의 모습을 보는 일도 좋아.
그러다 발견한 그들의 잠버릇을 지켜보며 몰래 킥킥 대는 일도 좋아.

모두 잠든 시간.
성에가 낀 창문에 너의 이름을 써보는 일도 좋아.
적요로 가득한 공간, 슬그머니 문틈 사이를 비집고 들어와
내 가방에 손을 대는 누군가와 정면으로 눈이 마주치는 순간까지도.
그러다 깨어 있는 나를 발견하곤, 멋쩍게 웃으며 돌아가는
쑥스럽고 어설픈 야간열차 도둑의 이름을 궁금해하는 일도 좋아.

충혈된 눈을 하고서도 편히 잠들 수 없는 불면의 시간,
'너'라는 이름 하나로 견디는 것도 좋아.
지금 내가 달리고 있구나, 그저 까맣기만 한 창밖을 바라보며
되뇌는 일도 좋아.

다음 날 새벽.
아직 동이 트기도 전에 도착한 목적지에 발을 내딛을 때의
그 막막함이 좋아.
아무도 없는 플랫폼에 앉아 시린 두 손으로 그곳의 지도를
살펴보는 일도 좋아.

잠이 잔뜩 묻은 몰골로 어디론가 떠나는 사람들의 뒷모습을 우두커니
바라보는 일도 좋아.
'이제, 어디로 가야 하지'라고 스스로에게 되묻는 순간,
문득 찾아오는 이 쓸쓸함이 좋아.

그렇게 멍하니 서 있는 내게, '잘 가!'라고 인사해주는,
함께 긴 밤을 달려온 누군가의 환한 인사에 눈물이 핑~ 돌아버리는
순간도 좋아.
그렇게 무섭고 두려워놓고도, 언젠가 또 다시 야간열차를 타야지,
막연히 다짐하는 내 마음이 좋아.
그 신기한 야간열차의 매력이, 난 참 좋아.

고백

지구 저편에 머무는 70여 일 동안 나는 오직 한 권의 책을 갖고 다녔다.
출국하기 며칠 전 광화문에서 무심코 집어든 이름조차 낯선
시인의 시집이었다.
1995년에 출간된 그의 시집은 아무도 주위를 기울이지 않는 시집 코너,
그중에서도 한참 구석진 자리에 맥없이 자리 잡고 있었다.

망설임 없이 그것을 집어 들었다.
왠지 나와 닮은 구석이 있었기 때문이었다.
말로 설명하기엔 어쩐지 조금 서글픈.

인천공항.
땅을 박차고 오르던 런던 행 비행기 안에서,
이름이 잘 기억나지 않는 스페인의 작은 동네 그 슬픈 가로등 아래서,
햇살이 따뜻했던 오후 몬탈치노 어느 곳의 포도나무 아래에서,
때로는 전쟁시대의 영웅 조각상이 크게 자리 잡고 있는 드넓은 광장에서,
나는 혼자였고, 그때마다 그의 시집을 들고 있었다.

80여 일이 넘는 날 동안 나는 그에게 끝없이 소곤거렸고,
그는 묵묵한 몇 줄의 문장으로 내게 말을 걸어주었다.

낯선 이방의 언어 속에서 그의 시와 나는 유일하게 소통했다.
전부라 할 순 없지만, 거의 절반쯤은 완벽했다고 생각한다.
그의 시에 울 수 있었고,
스물 몇 해의 내 생을 가만가만 고백할 수 있었기 때문이다.

처음 나는 이 여행이 끝나면 시집의 마지막 장을 읽은 그곳에서 시집도,
내 마음도 후회 없이 버리고 오자고 결심했었다.
하지만 그 결심은 너무도 쉽게 무너져 내렸다.
난 어느새 너무도 많은 나의 비밀을 털어놓고 말았다.
어쩌다 만난 그 시집에게, 너무 많은 이야기를 들어버렸다.

서로를 너무 잘 알아 차마 헤어질 수 없는 친구처럼,
등 돌려 눕고도 가슴이 아파 슬며시 다리 한쪽을 걸친 채 모른 척
잠이 드는 오랜 연인처럼,
나는 다시 그 시집을 가슴에 품었다.

여행이 끝난 지금도, 그의 시집은 버려지지 않은 채
내 책장 가장 안전한 곳에 자리 잡고 있다.

그 무엇보다 '마음'이 먼저 통한 사이는 영원히 헤어질 수 없는
법인가보다.

인연이
된다는
것

길 위에서는 돌 하나조차 함부로 쌓아 올리지 말라는 말이 있다.
그게 인연이 되어 영영 삶의 바깥만을 맴돌다 끝날 수도 있기 때문이다.
그렇게 돌아올 곳을 놓치고, 보이지 않는 인연의 끈을 찾아 이곳저곳을
헛돌다 생을 마감할 수도 있기 때문이다.

하지만 그런 말도 폼페이에서는 소용을 잃었다.
시간을 품고 고스란히 재로 녹아내린 제정 로마 시대의 화려한 잔상들.
이제 겨우 터만 남은 지난 삶의 잔영들을 바라보고 있노라면,
문득 내가 발을 디디고 있는 현실이 허무하게 무너져 내리는 기분에
다리의 힘이 절로 풀리는 기분을 경험하는 곳.
폐허와 서글픔.
이 두 단어도 이곳에서만큼은 이음동의어가 된다.
자꾸만 걸을수록, 많은 것을 볼수록, 뭔가 비워지는 기분이 드는걸
어쩔 수 없다.

밥이 지어지고, 아이가 울고, 개들이 잠을 자고, 남녀가 모여
목욕을 하고, 작게 난 벽의 구멍으로 하염없이 수증기를 뿜어 올리던 곳.
한 창녀가 누군가에게 진짜 마음을 빼앗기고, 한 시대를 풍미한
부유한 상인들이 거드름을 피우며 술잔을 기울이고, 누군가 병이 들고,

그렇게 잠을 자다 그대로 화산재 속에 묻혀 캐스트로 발견되었을 것 같은
자리들.

폼페이엔 돌을 쌓아두고 싶은 곳이 많았다.
가벼이 올린 돌조각 하나만으로도 엮이는 것이 인연이라면,
나는 가능한 아주 많은 곳에 여러 개의 돌을 쌓아올리고 싶었다.
검은 화산먼지가 배어 있는 바람이 불어오는 폼페이의 한가운데에서,
나는 그렇게 알 수 없는 인연을 향한 그리움으로 몇 번이고
길을 잃어야 했다.
바람에 이리저리 휘날릴 뿐인 화산재 길 위에는 발자국조차 찍히지 않았
다.

아무것도 남길 수 없으므로, 어떤 인연으로든 얽혀 남아 있고 싶은 곳.
내게 폼페이는 절박한 연민의 도시였다.

가파른 원형극장의 열두 번째 층에 앉아 한 시간 남짓을 보냈다.
바람에 분분이 흩어져 보이지 않게 날리고 있을 시간의 역사를 음미하면
서.
가물거리는 시야 속으로 많은 사람들이 오고갔다.
사라진 제국의 초라한 뒷모습을 즐기고 있는 그 얼굴들은,
그러나 어딘가 조금 불편해보였다.

오후의 뜨거운 햇살 아래 이런 저런 상념들을 풀어놓으며,
이제 더 이상 폼페이를 발견하는 일은 그만두겠노라고 생각했다.

다시 가방을 메고 폼페이 역으로 향하는 길.

너라는 이름 속에 함몰된 내 청춘의 껍데기,
그 마른 기억의 먼지바람에 내내 두 눈이 따끔거렸다.

부디

사랑하고 사랑하다
당신의 부재마저 사랑하고 말았다.
어느 날 불현듯 당신이 돌아오고 만다면,
나는 그 습관적 부재의 상실에
돌연 더 쓸쓸해질지도 모르겠다.

돌아오지 마라.
내 곁을 떠난 당신.
내가 짐작할 수 없는 어딘가에서
그저, 건강하라.

부디 그렇게 나를 쓸쓸히 견디게 하라.

Rainy days and Mondays

비가 내렸다.
준비 못한 많은 순간, 고개를 들어 올려다보면 문득 마음 이곳저곳을
쓸쓸하게 만들었던 하늘.
우산을 쓰기에도, 그렇다고 벗기에도 애매한 만큼의 비.
유럽의 가을엔 그런 비와, 바람이 가득했다.

새벽, 오기로 한 버스가 오지 않던 프랑스 아를Arles의 버스정류장에서,
가을의 정점에 접어들기 시작한 프로방스를 떠나 니스로 가던
파란 버스 안에서,
늦은 오후 샌드위치를 사들고 찾아간 런던의 세인트 제임스 파크St. James
Park에서도, 비는 내렸다.

그럴 때면 주머니에 손을 꼭 집어넣은 채로, 얼룩져가는 땅을 보며
걷곤 했다.
조용히 빗방울이 거세어질수록, 자꾸만 지난 생 이곳저곳에 흘리고
돌아온 수많은 사랑들이, 한숨들이 묵묵히 나를 따라 걸어오곤 했다.
뒤돌아 볼 순 없었다.

지금 돌아보면 내내 돌아보게 된다.
나는 그렇게 앞으로, 앞으로 걸었다.
어쩌면 나를 뒤따르는 그리움의 속도에 따라잡히게 될까,
그게 두려웠는지도 모른다.

그리고 월요일.
눈을 뜨는 매일이 그저 '여행하는 날'이던 날들.
그 안엔 수없이 많은 '월요일들'이 있었다.
부러 달력을 보지 않아도, 느낌만으로 정확히 알 수 있었던
일주일의 단 하루.

월요일.

사소한 풍경에 주룩주룩 눈물을 흘리고,
문득 전화기를 찾아 오래 전 잊힌 번호를 눌러대고.
이제 몇 시간 후면 끝이 나는 전시회를 앞에 두고, 멍하니 갤러리 앞
카페에서 술잔을 기울이고, 몇 개의 의미 없는 기념품을 사고,
오래도록 그것들을 만지작거리며 사람 없는 골목을 찾아 떠돌던 시간.
여행을 떠나오기 전, 내 몸에 밴 월요일의 스산함과 불안함은
여행이 끝나는 순간까지도 사라지지 않았다.

하물며, 이런 내게 '비가 내리는 월요일'이란 참기 힘든 것이었다.
잔뜩 웅크렸던 몸과 마음을 겨우 일으킨 뒤, 쉴 틈 없이 낯선 풍경을
향하는 시간.
그런 날에는 괜스레 머리가 어지럽고, 자꾸만 졸음이 몰려왔다.

사람이 꼭꼭 들어찬 바르셀로나의 지하철에서,
투명한 빗방울이 점점이 맺힌 웨일즈 행 버스 창가에서,
빗물을 머금어 주글주글해진 지도를 들고 망연자실한 채 서 있던
브뤼셀의 대로변에서,
그렇게 나는 슬며시 가슴을 타고 오르는 미열을 느꼈다.

그것을, 그 얕은 어지러움을 무엇이라 불러야 좋을지,
그때도, 지금도 나는 여전히 알지 못한다.
왼쪽 가슴 어디서부턴가 시작되어 점점 온몸 구석구석을 차지하기
시작하는 그 뜨거운 열기.
가끔은 두 눈으로 붉은 열이 올라 눈물로 터져 나오기도 했던
그 서글픈 감정의 바이러스.

오랜 생각 끝에 이런 결론을 내린다.

주기적으로 감기를 앓듯, 나는 비가 오는 월요일을 자주 앓는 사람.
그래, 어쩌면 그뿐일지도 모른다.

talkin' to myself and feelin' old, sometimes i'd like to quit
nothing ever seems to fit.
hangin' around nothing to do but frown.

Rainy days and Mondays always get me down⋯

스무 살 언저리의 어느 날,
카펜터스의 노래는 나에게 이런 위로를 해준 적이 있다.

E.A.T

가슴 아픈 사랑도 이별도 모두 잊게 되는 시간.
오로지, HAPPY.

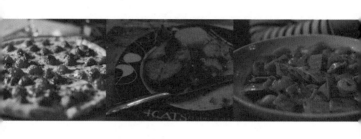

Part 4

길은 눈물을 머금고 자란다

아무리 초라하더라도, 누가 봐도 궁색한 모양새일지라도
내가 기댈 곳이 된다면, 내게 기쁨이 된다면 그것은 희망이다.
그러니, 내가 먼저 알아보면 되는 것이다.
놓치지 않으면 되는 것이다.

헌책방
마을
헤이온와이

한 장의 사진으로 잠 못 이루는 밤이 있었다.
낡은 고성의 성벽에 둘러싸인 드넓은 잔디밭,
그리고 그곳에 늘어선 책장들.
굳이 많은 말이 오가지 않아도 서로의 속내를 깊이 알고 있는
오랜 친구들처럼,
그저 묵묵히 늘어선 헌책방으로 이루어진 거리.
반나절을 사진 속에서 놀다, 결국 그 사진을 프린트해 책상 앞에
붙여두었다.
웨일스의 헤이온와이 Hay-on-Wye.
그곳의 이름이었다.

마을 전체가 헌책방으로 이루어진 헤이온와이는 한때 영국 정부로부터
'헤이 온 왕국'이라는 이름으로 장난스런 독립을 선언하기도 했다.
'리처드 부스'라는 한 괴짜 사나이의 재미나고도 독특한 사업 아이템으로
시작된 헤이온와이의 헌책방 역사도 이제 어느덧 거의 50년.
수많은 사람들의 손때와 다양한 역사가 묻어 있는 책들.
만약 당신에게 행운의 여신이 따라준다면 여러 분야의 고서적들과
이제는 구하기 힘든 18~19세기 문학서적들의 초판을 구할 수도 있는,
무척 따뜻하고도, 소중한 곳.

런던을 떠나 첼트넘까지 버스를 타고, 다시 그곳 인포메이션 센터에서
버스시간표를 받아 글로세스터 샤이어 Gloucester Shire 와 헤리포드 Hereford 를
지나 헤이온와이에 도착하는데 걸리는 시간은 반나절쯤.
그곳에 발을 디디겠다는 굳은 집념이 없다면, 좀 지루할 수도 있는
거리지만, 나는 내내 즐거웠다. 사진으로만 보던 그곳에 가는데
즐겁지 않을 이유가 어디 있을까!
사방은 그야말로 초록이었다.
푸른 목초지 위에 하얀 마시멜로처럼 콕콕 박혀 풀을 뜯고 있는 양들.
신선한 공기.
복잡하지 않은 거리.

그리고 군데군데 자리한 '방 있음' '방 없음'이 적힌 표지판을 내건
B&B들은 성수기가 아닌 시즌에도 외지인의 방문이 끊이지 않는다는
것을 보여주고 있었다.

헤이온와이에 머무는 동안 나도 B&B를 이용했다.
우연히 들른 작은 퍼지 숍 주인아주머니가 10통이 넘는 전화 끝에
손수 구해주신, 부엌이 개방되어 있는 하루 25유로짜리 예쁜 집이었다.

작은 마을답게 상점은 오후 5시를 전후로 모두 문을 닫고,
마을엔 고요가 내려앉았다.
몇 개 되지 않는 채널을 골고루 돌려가며 TV를 보다 잠이 들던 많은 날들.
곁에는 한 시간에 겨우 두 페이지를 넘기기도 힘들었던,
영문판 버지니아 울프가 놓여 있었다.

해가 나 있는 시간엔 거의 헌책방에 틀어박혀, 시간과 함께 켜켜이
쌓여온 먼지를 들이마시며 책에 몰두했다.
그동안 생각해 온 헌책방의 이미지와 달리 이곳의 헌책방들은 모두
일정한 주제 아래 책을 모아둔 곳이 많다.
음악, 영화, 문학, 의학, 스포츠, 역사 등등… 아주 다양한 분야들이었는데,
나는 그중에서도 문학과 음악 서적들로 가득한 서점에 온종일 들어앉아
말러나 베토벤의 편지 같은 책들을 읽어 내려갔다.

집으로 돌아오는 길에는 마을의 상징인 헤이 성 안에 만들어진 어니스티
북 셀러(사람의 양심을 믿고 스스로 돈을 내고 책을 가져갈 수 있게 만들어 놓은 곳)에
들러 한국에서 가져온 음악을 들으며 어슬렁거리는 일도 빼놓지 않았다.
그 낮은 채도의 공간 안에서 눅눅한 웨일스의 하늘을 바라보며 녹슨
철제 책장 속 책들을 바라보는 기분은 무척이나 쓸쓸했고, 그만큼
아름다웠다.

어두침침한 서점의 한 구석에 무릎을 모으고 앉아 이국의 언어로 가득한
책을 펼쳐들고 앉아 있으면 마음에 없던 길이 생기는 기분이었다.
이름 모를 벌판 위에 새로운 보금자리 하나를 내는 기분이었다.

오후의 햇살을 조용히 투영해내는 작은 창문, 그 빛 사이로 나풀거리는
먼지들. 가끔은 그 시간의 재를 숨 쉬며 까무룩 잠들어
얕은 꿈을 꾸기도 했다.
그 꿈속에서, 시간을 머금어 빛이 바랜 책상 사이사이로,
지난 수십 년간, 같은 곳에 손을 대고 같은 문장을 읽으며 고개를
끄덕였을 낯선 이들의 얼굴을 만나기도 했다.
그것은 때로 낯선 복식을 한 나의 얼굴이기도 했고,
집 앞 야채상점 아저씨이기도 했고, 내 첫사랑의 얼굴이기도 했지만,
막상 꿈에서 깨어나면 잘 생각이 나지 않았다.
다만 책장을 넘기던 이의 손에서 느껴지던 온기만이 어렴풋이 느껴지곤
했을뿐.

마음에 드는 책을 골라 읽고, 비가 내릴 때면 작은 티 룸Tea Room에 들어가
차를 마시며 혼자만의 시간을 즐겼다.

문득 혼자인 게 견디기 버거워질 무렵이면, 이 낯설고도 정겨운 마을에
함께 왔으면 싶었을 사람들을 손꼽아보며 엽서를 썼다.
마을을 감싸 돌며 흐르는 와이 강변을 산책하거나, 생소한 웨일스어로
된 표지판들을 읽으며 집으로 돌아오는 길.
구석구석 오랜 활자들을 끌어안고 있는 이 마을에서,
나는 끝없는 이야기의 샘 같았던 할머니의 품을 느꼈던 것 같다.

짧게는 몇십 년에서, 길게는 몇백 년 사이의 시간 여행.
헤이온와이에 머무는 동안 나는 그렇게 다른 세계에 있었다.
많은 책들이, 그 책들 속의 시간이 그 통로가 되어주었다.

마을을 떠나던 날, 자주 가던 문학 서점에 들렀다.

그리곤 늘 그랬듯이 책을 골라 읽고 다시 문을 나서며 눈에 띄는 책

한 권을 샀다.

그곳에 머무는 동안 느꼈던 나의 심정과 잘 어울리는 따뜻한 책.

루이스 캐롤의 『이상한 나라의 엘리스』.

1954년 인쇄된 낡은 문고본이었다.

타인의
취향

물 묻은 수건은 꼭 두어 번 털어 주름 없이 걸어두는 일.

앞머리가 눈썹 아래 0.7센티미터까지 자라났을 때 잘라내는 일.

이른 아침 드뷔시를 듣는 일.

눈을 뜨면 가장 먼저 보이는 천장에 세계지도를 붙여 놓는 일.

잠들기 전 여행하고픈 나라를 콕 찍고 잠이 드는 일.

그래서 가끔은 발가벗은 몸으로 스페인 광장 한복판에 서 있는

꿈을 꾸는 일.

좋아하는 사람들에게 야광별을 선물하는 일.

그리고 가끔씩 전화 걸어 아직도 잘 빛나고 있느냐고 물어보는 일.

그 사소한 간절함에 문득 속이 상해 잠 못 드는 일.

마음이 맞는 친구와 아침부터 새벽까지 술을 마시는 일.

그 사이, 이미 너무 먼 아버지와 오래 전 등 돌린 친구들에게

전화를 걸어 용서를 구하는 일.

그리고 다음 날 그 모든 것을 잊는 일.

먼지 쌓인 운동화끈을 모조리 푼 뒤 다시 매어두는 일.

그 운동화를 신고 해가 저문 동네 골목길에 뛰어나가 캔 맥주를 사는 일.

쇼핑을 할 때, 한창 잘 나간다는 옷만은 절대 사지 않는 일.

아무도 없는 옥상에 누워 조용히 UFO를 불러보는 일.

평소에 사용하지 않는 왼손으로 소중한 누군가에게 편지 한 통
적어보내는 일.

그 뻐따한 고집스러움을 사랑하는 일.

비가 오는 날엔 속옷을 모두 꺼내 반듯하게 다려두는 일.

잠들기 전, 헤어드라이로 침대 속을 덥혀두는 일.

그 병적인 수고로움을 사랑하는 일.

두세 번쯤 만난 누군가의 이름을 끝내 모른 척 다시 물어보는 일.

그때 살며시 구겨지는 상대방의 입매를 바라보는 일.

몸에 맞지 않는 커다란 잠옷을 사는 일, 그 안에 뉘인 마른 몸과 마음을 뒤
척이며 새벽을 맞이하는 일.

누군가의 미소 속에서 광대한 우주를 발견하는 일.

사랑하는 이의 머리칼을 몰래 훔쳐 간직하는 일.

그 특이한 기행을 당당한 취미 한 가지쯤으로 생각해두는 일.

너무 좋아하게 될 것 같은 사람에겐 끝내 이름을 묻지 않는 일.

익숙한 모든 것과 낯설게 이별하는 일.

그러기 위해 어느 날 문득 배낭을 꾸려보는 일.

떠나기 전 전화번호를 바꿔두는 일.

그리하여 돌아온 그때, 내가 먼저 찾지 않으면 안 될 사람들만
기억하게 되는 일.

내가 너를 사랑하며 얻게 된,
사소한 취향들.

필담
- 잠이 오지 않는
야간열차에서
그린 장면들

꼬깃한 종이 한 장이 펼쳐진다.
자연스레 결이 일어난 나무 테이블 위에 한 개의 볼펜과 한 개의 연필이
놓여진다.
분주히 오가는 시선.
그 사이 한 번 없는 눈 마주침.
지금 우리는, 하고 싶은 말이 아주 많은 사람들이다.
그리고 나는 어렴풋이 당신이 내게 하려는 말을 알고 있다.
부쩍 줄어든 말, 어색한 눈 맞춤, 어딘가 불편한 친절.
헤어짐의 당연한 순서.

당신이 펜을 집어 든다.
심이 많이 닳아 끝이 둥근 노란색 연필이다.
연필을 잡은 당신의 왼손이 살며시 떨려오기 시작한다.
"왼손잡이가 수학을 잘 한다는 건 다 거짓말이야."
늘 우스갯소리처럼 내뱉던 당신의 푸념.
실제로 당신은 그랬다.
복잡한 계산을 싫어했다.
무언가 셈해야 하는 것을, 더하고 빼야 하는 것을 귀찮아 했다.
그것이 숫자이든, 감정이든, 당신에겐 상관이 없었는지도 모른다.

나에 대한 당신의 감정도 그러했을지 모른다고 지금의 나는, 생각한다.
세세한 '나머지 자리 수'는 생각할 겨를이 없는 사랑,
무엇이 보태어지고 무엇이 남아 있는지, 어떻게 하면 무엇이 더
보태어질 수 있고, 무엇이 더 남을 수 있는지, 그런 경우의 수가,
그런 사랑이 당신에겐 영 불편했는지도 모른다고.
하물며 뒤늦게 뒤꿈치를 들어 애를 쓴다 한들,
나의 사랑이 반올림 될 수 있을까.
나의 시간은 결국 버림 될 몇 개의 숫자로 끝나가고 있다.

지금 담담한 표정으로 연필을 붙잡고 있는 당신의 표정 속에서 나는
당신의 마음을 읽는다. 주름진 종잇장 위로, 지나온 우리의 시간이 보인다.

'당신이 싫어진 것 같아.'

그가 써낸 문장의 처음은 그러했다.
나는 꼼꼼히 그 글씨들을 읽어 내려간다.
가슴 구석구석 모난 돌들이 날아온다.
메마른 가슴 속, 순식간에 아홉 개의 멍 자국이 새겨진다.

나는 볼펜을 든다.
무엇을 얘기해야 좋을까.
왜 당신은 나에게, 이토록 생경한 필담을 제의했던 것일까.
왼쪽으로 비스듬히 누운 당신의 글씨.
그 뻐딱함이 새삼 낯설다.
나는 숨을 가다듬는다.

해야 할 말의 시작을 찾는 머릿속은, 그러나 이미 길을 잃었다.

'그랬구나.'

나는 그 네 글자를 당신에게 되돌려준다.
그 글자를 읽은 당신의 표정이 묘하게 굳어진다.
당신이 계속해서 무언가를 적어 내려가는 동안 나는 차가운 물 한 잔을
부탁한다.
이미 식어버린 커피는 한켠에 그대로 밀어둔 채,
나는 물 한 잔을 쉼 없이 들이킨다.

고요한 침묵 위로 목울대를 타고 넘어가는 물소리가 긴 침묵 위로
도드라진다.
위태롭다.
나는 계속해서 넘어오는 화들을 그렇게 다시 씻어내리고 있다.

'여행이나 다녀올까 해. 몇 주 아니면, 몇 달이 될지도 몰라.
다녀오면 무언가 달라져 있겠지. 내가 돌아오거나, 당신이 떠나가거나.'

입술 위에 남은 물 자국을 손으로 쓸어내리며
나는 되돌아온 종이를 천천히 읽어 내려간다.

눅눅한 카페 안의 공기 사이로 스팅의 노래가 흘러나오기 시작한다.
엔젤 아이즈.
취한 듯 울렁거리는 풍경.
사랑이 짧으면 슬픔이 길어진다고 말했던가.
리빙 라스베가스.
그 화려한 슬픔.
나는 그가 써낸 문장들을 곱씹듯 읽어 내려간 후 다시 연필을 집어든다.

'나도 하고 싶던 말이었어. 나, 곧 떠날 거였거든.
그래, 무언가 달라져 있겠지. 당신이 돌아와도, 나는 여기에 없을 테니까.'

그에게 종이를 되돌려준다.
비뚤거리는 글씨 위로 군데군데 잉크가 번져나간다.
나는 담배를 꺼내 문다.
당신을 만나고 한동안 서랍장 구석에 숨겨두었던 비밀.
하얀 연기가 날숨을 타고 오른다.
놀란 듯 빤히 나를 바라보는 당신.

끝내 어디로 떠날 것인지 애써 묻지 않는 당신과 나.
하지만 우리는 알고 있다.
그것이 어디든 별로 중요하지 않다는 것을.
당신에겐 떠나고 싶은 '곳'이 생긴 게 아니라, 그저 떠나고 싶은
어떤 '것'이 생긴 것이라는 것을.
나는 연필을 내려놓고, 서둘러 가방을 챙긴다.

내가 떠날 곳은 당신처럼 다시 돌아올 수 있는, 다시 돌아갈 곳이 있어
더 절실해지고 아련해질 수 있는 그런 곳이 아니라는 사실을 말하지 않는다.
혼자, 다시는 영영 돌아오지 못할 곳으로 떠나게 될 것이라는 그 사실은,
그리하여 끝까지 당신은 알지 못할 '나만의 비밀'이 된다.
사랑의 끝에서 우리는 각자의 여행을 결심한다.
당신은 돌아올 수 있는 자이나, 나는 끝내 돌아올 수 없는 자로 남을 것이
다.
문득 필담을 제의해준 당신에게 고마운 생각이 든다.
말로 꺼냈더라면, 둘 중 하나는 가슴 속에 큰 짐을 짊어진 채 떠나야
했을 것이다.

나는 이별이 선언된 그 종이 위에 담배를 비벼 끈다.
조용히 타들어가는 종이를 물끄러미 바라본다.
까만 재로 남아버린 이야기들.
끝내 지워지고야 말 시간들.
슬쩍 웃음이 터져 나온다.

나는 성급히 가방을 챙겨 카페를 빠져나온다.
당장 내일부터, 나는 여행을 떠나기 위한 준비를 시작할 것이다.
가방을 채우는 대신 내 방을 조금씩 비워나가야 할 것이다.

그리고…
돌아올 수 없는 행선지를 향해 출발할 것이다.
내 생의 가장 긴 여행을 떠나기 전,
가장 무겁던 짐을 털어버린 기분으로,

나는 뒤돌아보지 않고 앞을 향해 걷는다.
그의 곁에서 만들었던 몇 년의 세월이 단 두 개의 글자로 압축되어
사라졌다.
이별.
어느새 거리 곳곳에 가을이 내려앉아 있었다.

안녕, 가을.
안녕, 당신.

칸타로스테와
군밤 사이

밤을 구워먹는 도시가 있었다.
이탈리아 토스카나의 작은 마을 체르탈도(Certaldo).

마침 음식 축제가 한창이던 그곳에서, 밤을 굽는 할아버지를
만날 수 있었다.

"칸타로스테~ 칸타로스테~"
할아버지는 이렇게 외치며 사람들을 불러 모으고 있었다.
아마도 "군밤이요, 군밤" 정도의 말인 듯했다.

순간 마음에 세워두었던 보이지 않는 벽이 두서너 겹쯤 녹아 없어진 기
분.
같은 음식을, 같은 방법으로 해먹는 일 만큼 친근한 일이 또 있을까.

주머니 속에 있는 동전을 몇 개 챙겨 할아버지가 있는 곳으로 달려갔다.
달콤하고 고소한 냄새와 함께 열십자의 칼자국이 난 밤들이 숯불에서
이리저리 구워지고 있었다.

나는 그중 몇 개를 집어 값을 치르며 군밤 할아버지에게 인사를 건넸다.
'맛있게 먹어요.'

군밤을 건네주시는 할아버지의 얼굴에 오래 전 돌아가신 내 할아버지의
따뜻한 웃음이 겹쳐졌다.

당신은
누구입니까?

어느 오후.
밤새 내린 비로 축축이 젖어 있는 보도블록 위를 걸으며,
나는 전날 밤 계획했던 그곳에 가지 않기로 결심한다.

어느 날 문득, 괜스레 막막한 가슴을 안고 서둘러 몬타우크 행 열차를 탄
〈이터널선샤인 Eternal Sunshine of the Spotless Mind〉의 조엘처럼.
그렇게 서둘러 아무 곳을 향해 걷기 시작한다.
버스를 타고 싶으면 버스를 타고, 잠시 우울해지고 싶다면 지하철을,
그리고 내키지 않는다면 내내 걷기로 하면서.

여행, 사진, 연애, 첼로와 외톨이, 첫사랑과 그의 두 번째 여자…
이런 단어들을 떠올리며 걷는 거리는 어느새 사방이 음악이다.

9월의 런던.
오선지처럼 펼쳐진 거리 위 음표처럼 걸어가는 사람들.

카메라를 꺼내든다.
친근한 듯 낯선 풍경들.
그래, 조엘에게 필요했던 건 '용기'였다.

잊고 싶은 것을 잊지 않을 용기.
기억하고 싶은 것들을 지켜내는 용기.
나는 서둘러 거리 위에 그려지는 음악을 찍기 시작한다.
도돌이표가 없는 내 생의 찬란한 한 악절을.

그러다, 당신.
반짝 하는 짧은 순간, 그 순간 내 흐릿한 뷰파인더 안에 정확한 초점이
들어차던 그 짧은 순간 그곳에 서 있던 당신.
셀 수 없는 만큼의 경우의 수를 두고 누른 셔터.
그 500분의 1초의 시간 안에 들어와 있던 당신.

그래, 어쩌다 마주친 당신.

운명이 아니라면, 아무리 흔하고 속되다지만, 그 두 글자가 아니라면
도대체 그것을 달리 무엇으로 불러야 좋단 말인지.

셔터를 누른다.
찰칵.
필름을 감는다.
다시 한 번 찰칵, 찰칵.
4분의 3박자 왈츠 같은 설렘.

당신은 그렇게 내게 저장된다.
500분의 1초, 혹은 1000분의 일초, 혹은 60분의 1초.
내 감각의 시간으로는 도무지 알아챌 수 없는
그 시간 속 그 찰나를
이렇게 긴 시간 동안 잊기 힘든 이유.

사진을 인화하고, 벽에 붙여두고도 모자라 가끔은 잠에서 깨어나
한참을 골똘해지곤 하는 이유.

하필 그 순간 내 생의 사각 프레임 속을 지나가던 당신 때문.
그 빛의 속도 같은 운명의 부질없는 가벼움 때문.
그때 그 길 위에 떨어지던 당신의 한 발.
그 디딤이 가져왔던 울림이 왠지 계속 성가시기 때문.
보이지 않는 당신의 이름, 당신의 사는 곳, 나이,
혹은 당신의 사소한 취향 같은 질문들이
이렇게 오랫동안, 귀찮게 내 머리를 찌르며
쫓아다니기 때문.

왈츠 초급반의 서투른 발짓, 섬세한 떨림 같은 얼굴.
나른한 그날의 그 빛깔 속, 나를 괴롭히는 한 사람.

당신은, 누구입니까?

다툼의 진실

그 시절, 나는 다툼을 액세서리처럼 달고 지냈다.
주로 죄 없는 그에게 죄를 묻는 일에서 비롯된 다툼이었다.
수수한 일상이 견딜 수 없다는 듯, 화려한 치장의 하나쯤으로 다름 아닌
다툼을 택했던 것.
때문에 그는 늘 내 앞에서 결백한 죄인이 되었고,
나는 영원히 지치지 않는 심판관이 되었다.

왜냐고?
사랑하니까!

다툼의 이유는 늘 하나였고, 그것은 진실했으나,
상대방을 지치게 하기에 충분할 만큼 어이없는 변명이자 고문이기도 했다.
누구보다 거절에 익숙했고, 친절에 인색했으며,
나를 망치는 사람만을 사랑했고, 그 대가로 많은 시간을 공허와
피해의식 속에 흘려보내야 했으나, 결코 건강한 사랑을 원하지 않던
스물한 살의 신경질적인 여자아이.
나의 스물하나는, 내가 살고도 이해할 수 없는 스물하나였다.
사랑하는 만큼 상대를 괴롭히는 일. 다툼을 만드는 일.
그때의 내겐 그것이 '사랑'이었다.

나는 나에게 시(詩)가 되어줄 수 있는 누군가가 필요했고,
또한 그 누군가에게 영원히 낙인된 상처이고 싶었다.
지워낼수록 각인되는 것은 '사랑'이 아닌 '상처'라는 것을
알고 있었기 때문이었다.

사랑할수록, 그렇다고 느낄수록, 나는 거세게 그의 마음을 할퀴어댔다.
얼마나 더 상처입어야 나를 떠날 수 있는지, 언제까지 나를 떠나지 않은
사람인지. 그런 것들이 늘 궁금했다.

하찮은 위로 대신 날카로이 손톱을 세워 서로의 상처에
덧을 내는 짐승들처럼.
나는 그와 내가 결코 화해할 수 없는 저 벽 너머의 사이가 되어
그저 막연한 단절의 시간을 살다가길 바랬다.

어쩌면 쉽게 잊혀질 동료보다, 오래도록 기억될 '적(敵)'이고
싶었는지도 모른다.

언젠가 그가 '여행을 떠난다'는 말을 남기고 사라졌을 때, 나는 무심코
하얀 새벽달이 뜨는 차가운 사막의 밤을 생각했다.
모래바람에 날려 지워질 발자국만 남긴 채 영원히 내가 알 수 없는
곳으로 떠나갔구나, 라는 생각에 밤새도록 억울해 잠들 수가 없었다.
그때 내 마음의 온도는 사막의 새벽이었다.

이제 누구와 다투어야 할까.
누구의 심장을 할퀴어 내 사랑을 확인해야 할까.

이런 생각으로 그가 사라져 버린 내 이십 대의 몇 해를 방황하며,
전투적으로 '사랑'이라는 이름에 매달렸다.
물론 지금도 그때보다 나아진 건 없다.
아직도 감싸 안기보다 상처주는 일에 익숙하고, 끝없는 다툼으로 인해
확인되는 사랑에 익숙하다.

지금껏 수많은 사랑들에게 둘 사이의 다툼으로 인해 '여행'이라는
탈출구를 생각하게 만든 내가 이제 그런 스스로에게 질려 '여행'을 떠난
다.
누군가를 내 가슴에서 덜어내는 일이란, 어쩌면 아무도 없는
사막의 새벽을 홀로 건너는 일에 다름 아니라는 것을 '이별'이란 이름을
달고 벌어진 상처의 붉은 틈으로, 배운다.

나는 언젠가 나를 떠난 사랑들처럼, 내게 작별 인사를 하며 짐을 꾸린다.

그래, 여행을 떠나면, 여행을 떠나면….

온몸이 샅샅이 얼어버릴 만큼 차가운 사막의 밤 그 한가운데 무릎을
끌어안은 채, 그 누군가의 이름 세 글자를 자장가처럼 되뇌겠지.
그 이름 세 글자에 물을 주고 잎을 틔워 차가운 사막의 저편에 신기루를
뿌리듯 던져놓고 올 수도 있겠지.
언젠가 그가 남기고 지나간 발자국의 흔적을 더듬어 밟으며 한 발 한 발
지나간 다툼의 기억들에게 사죄할 수도 있을 거야.
새하얀 모래 알 만큼이나 많은, 그 알알의 미안함들에게.
가끔, 다툼에 질린 그가 내게서 벗어나던 나던 순간, 차곡차곡 꾸렸을

여행가방.
그 뒷모습이 몹시 궁금해질 때가 있다.
그리고 불쑥 솟아오르는 가슴의 화기火氣.

하여 아직 나에게 다툼은 지독한 사랑의, 지독한 열정의 또 다른 말이다.
차가운 사막의 밤을 붉게 태워버리고도 남을 정도의 열띤 몸부림이다.

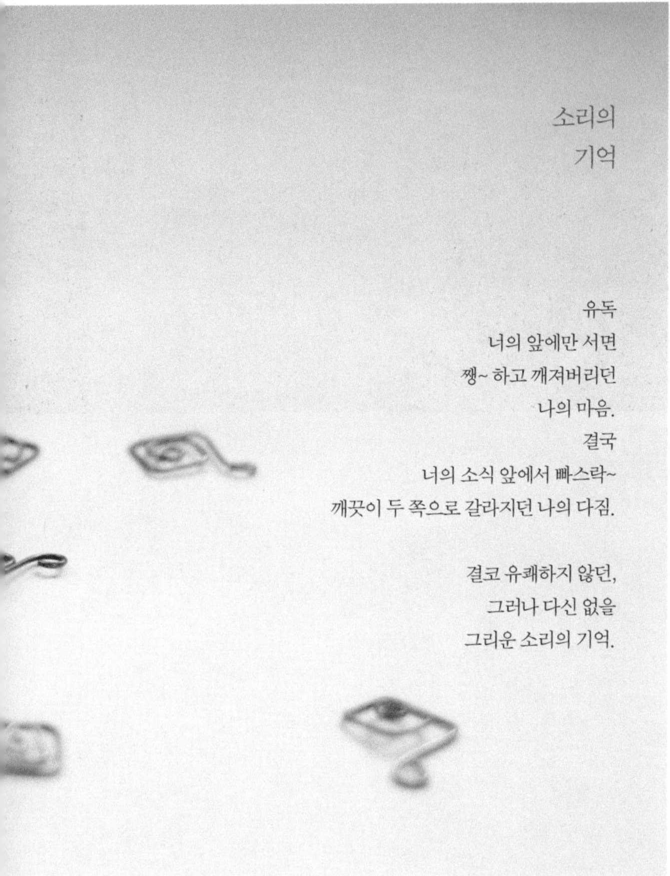

소리의
기억

유독
너의 앞에만 서면
쨍~ 하고 깨져버리던
나의 마음.
결국
너의 소식 앞에서 빠스락~
깨끗이 두 쪽으로 갈라지던 나의 다짐.

결코 유쾌하지 않던,
그러나 다신 없을
그리운 소리의 기억.

희망
at Tate Britain gallery

알 수 없는 그림 앞에 앉아 긴긴 시간을 보내는 사람들을
이해하지 못하던 시절이 있었다.
초점 없는 두 눈으로 응시하고 있는 곳이 대체 저 그림의 어디쯤인 걸까.
무엇 때문에 저 이의 뒷모습은 저렇게 흔들리는 걸까.
무엇이 저 두 발을, 가슴을 불러 세운 걸까.

후에 내 발걸음을 멈추게 한 몇 점의 그림을 만났을 때,
그제야 나는 비로소 그들의 마음을 이해할 수 있게 되었다.
어떤 곳에 머무는 시선이 오래일 때, 그것은 그저 바라봄을 넘어,
깊은 응시 속에 자신의 내면을 어렴풋이 비추어 보는 거울이 된다는
사실도 알게 되었다.

그림을 통해, 나를 바라보게 된다는 비교적 예술적인 관념 하나를
터득하게 된 셈이다.

10월의 런던 Tate Britain gallery.

나는 무엇에 홀린 듯 한 그림 앞에 걸음을 멈췄다.
눈을 가린 소녀.

흰 천을 감싸듯 두른 몸은 그닥 메말라 보이지 않음에도 '연약함'이란
단어를 떠올리게 했다.
구부정한 자세로 눈을 가린 소녀가 힘을 의지하고 있는 것은 다름 아닌
줄이 모두 나가 겨우 한 줄만 남아 있는 리라.
고개를 한없이 이울인 채, 그녀는 이제 겨우 한 줄 남은 리라를 연주하고
있었다. 자세히 살펴보니, 그녀의 머리 뒤편과 리라가 작은 쇠사슬로
연결되어 있다. 벗어날 수 없는 것이다.
배경은 사라졌고, 그녀는 둥근 무엇인가에 앉아 한 줄짜리 리라로
삶을 지탱하고 있었다. 그것은 고립이었다. 고립된 자기만의 섬이었다.

Hope. 희망 by George Frederic Watts.

그 절망적인 그림의 이름은 다름 아닌 '희망'이었다.
고립된 자기만의 섬에서 벗어날 수 없는 낡은 리라를 연주하는 소녀.
보이지 않는 앞을 두고, 오로지 하나의 음만을 아우르고 있을 리라만이 그
녀의 삶을 증거하고 있었다.
그 비감한 희망. 그 아이러니컬한 슬픔에 나는 걸음이, 생각이 묶였다.

겨우 스물 몇 해를 살았음에도 나의 생은 멀찌감치 혼자 떨어진 섬이라
생각한 적이 많았다.
그곳에 홀로 서서 내가 기대온 것은 무엇이었을까.
나는 어떤 것들을 희망이라 불러왔을까.
가슴 속에서 많은 것들이 무너져 내렸다.
왓츠의 그림 앞에서, 그렇게 나는 오래도록 서성거렸다.
그 두 눈을 가린 소녀처럼 잠시 내 두 눈을 가리고,

내가 희망이라 부르고 있는 것들에 대해 생각했다.

내게 있어 저 리라와 같은 희망은 무엇일까.
나는 어떤 인생을 연주하고 있는 걸까.
한 줄짜리 낡은 리라조차도 희망이 되는 삶이 있다면,
나는 이미 너무 부자가 아닌가. 충분하지 않은가.

아무리 초라하더라도, 누가 봐도 궁색한 모양새일지라도
내가 기댈 곳이 된다면, 내게 기쁨이 된다면 그것은 희망이다.
모두가 절망이라 부르는 것들 속에서도, 나만의 희망은 어디에선가
조용히 빛나고 있을지 모른다.

그러니,
내가 먼저 알아보면 되는 것이다.
놓치지 않으면 되는 것이다.

Part 5

사람, 사랑…
별로 다르지 않은 말

끝없는 우물처럼 깊어지는 심연.

나는 지금 어느 시간을 건너는 중일까.

밀려가고 밀려오는 날짜 변경선의 사이사이에서

가슴은 내내 '길 잃음'의 표시로 위태롭게 깜박거렸다.

자전거를 탄 풍경

브뤼헤(Brugge)에 가면 자전거를 타세요. 꼭 그래야만 해요.
그러니까 여행을 떠나기 전 미리 자전거를 배워두는 것도 좋겠어요.
겁이 난다고요? 자신이 없다고요?
아니, 아니. 브뤼헤에서 자전거를 타보지 못하는 슬픔에 비하면
아무것도 아닐 테니 꼭 배워두세요.

브뤼셀 역에서 기차를 타고 한 시간쯤 가면 브뤼헤에 닿을 수 있어요.
벨기에 속의 작은 베니스. 그곳의 애칭입니다.
베니스처럼 도시 한가운데 아름다운 운하가 흐르는 곳이에요.
베니스에서 볼 수 있던 예쁜 곤돌라는 없지만, 작은 수상보트들이
쉬지 않고 오가는 곳. 눅눅하지만 싫지 않은 물이끼 냄새가 나는 곳.

자전거는 기차역에서 대여를 해요.
자전거를 대여하는 데 드는 돈은 대략 26유로쯤.
이중 절반 이상은 자전거를 되돌려줄 때 보증금으로 되돌려 받을 수
있으니 걱정 안 해도 돼요.

이 글을 읽는 당신의 키가 얼마나 될지는 모르지만, 그곳엔 아무리
찾아봐도 내 키에 맞는 자전거는 없었어요.
모두 서양인들의 체형에 맞게 나온 것인지 다리도 짧고 키도 작은
나에겐 모두 하나 같이 커 보이더군요.
그중 고르고 골라 제일 작다 싶은 자전거를 타야했지만 그것도 좀
버거웠죠. 아, 당신의 키가 크다면 걱정할 필요가 없는 부분이긴 해요.

일단 역을 나서서 자전거에 올라타요.
걸어서 브뤼헤를 둘러보는 사람들은 곧장 마르크트 광장Grote Markt을
향해 걸어가곤 하지만, 자전거를 선택한 이상 수변 도로를 선택하는 게
좋아요.

강변을 따라 푸른 녹음 속에 이어진 산책로를 달리는 거예요.
그 산책로는 브뤼헤의 동쪽 바깥 면을 따라 쭉 이어져 있어요.
오른편으로는 강이 흐르고요. 낮잠 자는 사람들이 보이고요.
작고 큰 강아지들이 종종 산책을 하기도 해요.
언젠가 한 번 보았으면 좋겠다 싶었던, 편안하고 여유로운 이국의 느낌.
그런 풍경을 만나는 순간 그런 생각이 잠시 들 거예요.
자.전.거.를. 타.길. 참. 잘.했.구.나. 그리고 함박웃음.
그렇게 얼굴에 부딪히는 바람이 너무 상쾌해 정신을 못 차릴 무렵이
되면, 어느새 브뤼헤의 북쪽 지점인 풍차 구역에 이르게 되요.
이곳에 도착하면 마치 풍차의 나라 네덜란드에 와 있는 것 같은 기분이
들 거예요.

작은 언덕 위에 솟아 올라 있는 빨간 풍차.

그 아래 낮잠을 청하고 있는 연인들이나, 나처럼 자전거를 타고

여행 중인 사람들을 만날 수도 있어요.

눈이 마주치면 무조건 "Have a good trip", 그리고 오가는 미소.

그렇게 착해지는 기분을 어쩌지 못할 무렵이면 슬슬 쉬었다 가야지,

하는 생각이 들게 됩니다.

자전거에서 내려 풍차 지점을 가로질러 조금만 걸어가면

작은 맥줏집이 있어요.

맥주를 좋아한다면 잠시 들러 에너지를 보충해도 좋아요.

한바탕의 라이딩 후라 아마 꿀맛 같을 거예요.

단, 한 잔 이상은 참는 게 좋겠죠. 자전거를 타야 하니까요.

맥주를 한 잔 하고 나니 어쩐지 조금 더 눌러 있고 싶다 싶을 땐,

근처 잔디에 누워 조금 자도 괜찮아요. 사실은 나도 그랬거든요.

이어폰을 꽂은 채 제임스 모리슨을 들으며 바라보는

브뤼헤의 하늘은 첫 월급을 타고 바라보던 그날의 하늘 같았어요.

아니 그보다 한두 뼘쯤 더 높고, 푸르렀던 것 같기도 하네요.

하늘은 가끔 내 기분만큼 더 높아지기도, 낮아지기도 하잖아요.

어떤 방법으로든 조금 쉬었다는 느낌이 들면

다시 달릴 준비를 하세요.

이제 본격적으로 브뤼헤를 만날 시간입니다.

이제부터는 무작정 '아무 데나 굴러도' 좋아요.

굴러가다보면 뭔가 높고 뾰족한 첨탑을 발견하게 될 것이고,

그걸 따라 가면 마르크트 광장과 만날 테니까요.

브뤼헤의 중심 마르크트 광장.

노틀담도 좋고 브뤼헤를 한눈에 내려다 볼 수 있는 종루도 좋지만,

마르크트 광장에서 꼭 해야 할 일은 이곳의 명물 포테이토칩을 사먹는
일이에요. 알 만한 사람은 다 안다는 집이죠.
두 개의 노점이 있는데, 두 군데 모두 사먹어 본 결과 맛은 비슷해요.
둘 다 무척이나 맛있었어요.
노릇노릇 따끈한 포테이토칩에 원하는 소스를 선택해 뿌려 먹는
그 순간, 당신은 아마 그간 당신의 인생에서 만나왔던 모든
포테이토칩의 맛과 이별해야 할지도 몰라요.
첫사랑에 빠지는 느낌이랄까. 그런 비슷한 느낌이 들 정도로
대단한 맛이거든요.
그렇게 포테이토칩의 맛을 즐긴 뒤, 다시 천천히 자전거를 몰아
시청도 보고 그다지 특별할 것 없지만 뭔가 고혹스런 자태를 뿜어내는
브뤼헤 성당도 구경하는 거예요.
브뤼헤 성당 안에는 미켈란젤로의 성모상이 있으니 들어가보는 것도
좋겠어요.
벨기에의 명물인 와플을 사먹어도 좋고, 특산품인 레이스 가게에 들러
누군가에게 줄 선물을 사는 것도 좋겠죠.
저는 레이스 컵받침을 저에게 선물했더랬어요.
여하튼 그렇게 계속 자전거를 타고 마침내 '사랑의 호수'까지 오게 됩니다.
이름이 참 아름답죠.
사랑의 호수.
나는 이 호수의 이름을 듣는 순간 눈물이 핑 돌았는데,
그 이유는 잘 모르겠어요.
그냥 이름이 너무 아름다워서인 것 같기도 하고,
내 옆에 있어야 할 사람이 지금 없어서이기도 했지만,
결국엔 무엇도 아닌 것 같았어요.

그곳엔 사랑하는 사람과 함께 바라보면 그 사랑이 영원해진다는
이야기가 전해지고 있어요. 그런 이유로 많은 연인들이,
혹은 이젠 혼자가 된 사람들이 그 주변에 모여
자기만의 생각에 빠져드는 곳이에요.
호수를 바라보던 그때 내 표정은 어땠을까요,
아마 밝지는 않았을 거란 생각이에요.
만약 당신 역시 나처럼 슬픈 표정을 짓고 있다면 수중보트를 타고
지나가는 관광객들이 따뜻하게 웃어줄 거예요.
여행의 기쁨은 그런데 있죠. 타인의 미소 하나로 한없이 따뜻해지는 마음.

사랑의 호수 근처에는 베긴회 수도원이 있어요.
내가 찾아갔을 맨 노랗게 단풍이 들고 있어 더욱 아름다웠는데,
사실 어떤 계절이든 아름다울 것 같아요.
고요한 수도원 앞뜰에 빼곡하게 솟아 있는 키가 큰 나무들.
자전거에서 내려 잠시 수도원을 거닐어보세요.
바람의 소리를 들으며 이런저런 기억들에게 '안녕'하는 거예요.
어떤 소란함도 방해할 수 없는 고요가 그곳에 있어요.

수도원을 천천히 돌아본 후, 다시 자전거를 끌고 사랑의 호수를 지나
도시 이곳 저곳을 구경합니다.
유명한 곳 말고도 그곳 학생들이 자주 가는 핫도그 집이라든지,
인적이 드문 강변의 벤치라든지 마음을 붙잡는 곳은 많아요.
화려하지 않지만 왠지 편안한 느낌으로 그곳을 찾는 사람들의 피곤을
풀어내는 곳.
브뤼헤는 그런 면에서 아직 색칠을 하지 않은 스케치 같은 도시입니다.

자, 이제 해가 점점 지고 있네요.
당신도 조금은 피곤해졌을 거예요.
브뤼헤에서의 시간에 여유가 있다면 마르크트 광장의 야경을 구경해도
좋을 테지만(마르크트 광장의 야경은 아름답기로 유명하죠), 시간이 늦으면
안 되니 다시 역으로 향해요.
물론 그 사이 브뤼헤에게 정이 들어 버렸다면 그곳에서
하루쯤 묵어가는 것도 좋을 거예요.

횡단보도마다 함께 설치되어 있는 자전거 신호등 앞에 서서 신호를
기다리며 아마 몇 번쯤은 뒤돌아볼지도 몰라요.
그리고 당신의 여행이 끝난 뒤 얼마간은 산책로를 타고 신나게 달렸던
그 기분이 생각나 가슴이 뛸지도 모르고요.

자, 어떨 것 같나요?
자전거를 타고 돌아본 운하의 도시 브뤼헤.
얼굴을 때리는 바람과 페달을 밟는 두 발의 경쾌한 리듬과 딸랑딸랑
귀여운 자전거 벨소리. 왠지 모르게 소녀스러운 이 여행의 한가운데
당신도 함께 했으면 좋겠어요.

그러니, 당신은 꼭 브뤼헤에 가야만 해요.
자전거를 타고. 그 멋진 낭만을 타고.

돌고
도는

새벽, 꿈에서 피카소를 만나고 예정에 없던 피카소 미술관을 다녀왔던
그날은, 이젠 이 세상에 없는 피카소의 생일.

우연히 그가 태어난 날이라는 사실을 알고 오묘해진 기분을 어쩔 수가
없어 평소 그가 자주 찾던 식당을 찾기로 했다

4 Cats.
제법 상큼한 이름의 레스토랑.
피카소가 자주 찾았던 식당이라는 이유만으로 명소가 되어 지금껏
사람들의 발길이 끊이지 않는다는, 그런 유명세에 더 이상 속지 말자던
다짐도 그날 하루만큼은 접어두고 싶었다.

미술관을 벗어나 그곳을 향하며 생각했다.
예산을 조금 오버하더라도 가능한 근사한 저녁을 먹고,
피카소의 화집을 보며, 그림을 그리는 친구에게 편지를 쓰기로.
나는 그림을 잘 모르지만, 여하튼 참 많은 생각을 하게 되었다고.
그림으로 말미암아 '치유'의 희망을 가질 수 있다는 사실을 알게 된 것
같아 마음이 든든하다고. 넌 꼭 그런 그림을 그려 달라고.

레스토랑을 찾아 걸으며 전날 꿈에 나왔던 피카소의 모습을 떠올려 보았다.
꿈속의 피카소는 긴 머리에, 콧수염이 달려 있었다.
마치 그림을 그리는 프레디 머큐리처럼.
얼마나 걸었을까.
한참을 걸어도 레스토랑은 나타나지 않았다.
묻고 물어 걸어가도 매번 같은 골목을 헛돌 뿐, 정작 그와 비슷한
분위기의 식당조차도 찾을 수가 없었다.
그리고 그런 레스토랑이 있기는 한 건지 지친 마음에 발걸음을 돌릴
무렵 나타난 한 사나이.

평범한 사십 대의 회사원.
옆집 아저씨 같고, 앞집 아저씨 같은 편안한 인상.
그는 두리번거리는 나를 발견하자마자 나에게 먼저 다가와주었다.
뭐든 다 알려줄 준비가 되어있다는 듯한 미소와 함께.
그리고는 "혹시 이런 레스토랑을 아느냐?"는 나의 물음에 잠시 골똘히
생각하더니, 일단 따라오란다.
아, 드디어 길을 아는 사람을 만났구나. 나는 반가운 마음에 가슴이
들썩거렸다. 그러나 얼마 되지 않아 그 역시 그곳을 모르고 있다는
사실을 눈치 채고 말았다. 다만, 이 사람 저 사람에게 묻고 물어
끝까지 나에게 알려주려고 했다는 사실까지도.
좀 창피하겠다 싶을 만큼 이 상점 저 상점에 들어가 레스토랑의 위치를
물어보고, 땀을 뻘뻘 흘리면서도 밖에서 기다리는 나에게는 초콜릿까지
쥐어준다. 묻고 물어 가는 동안에도 몇 번이고 나에게 미안하다는
말까지 한다.
덩달아 나도 허리를 숙인다.

미안한건 난데. 당신이 아닌데.

이리저리 발에 불붙은 듯 뛰어다녀준 그 덕분에 얼마지 않아
4 Cats를 찾을 수 있었다.

저녁이라도 함께 하고 싶었다. 이름이라도 알고 싶었기 때문에.
아무리 여행자에게 베푸는 당연한 친절이었다 하더라도,
그가 보여준 친절엔 그것 이상의 깊은 마음이 담겨 있었다.
그것은 나의 마음이 먼저 알아본 진심 이상의 진심이었다.

"너무너무 고맙습니다. 저녁이라도 함께 해요."

나는 쭈뼛대며 물었다.
이미 반쯤은 거절당할 거라는 걸 알고 있으면서도, 용기를 내야겠다고
생각했다.
역시나 그는, 두 손을 휘휘 내젓는다.

괜찮아요. 나도 작년에 한국에 갔을 때, 한국 사람들이 이렇게 도와줬어요.
내가 받았던 만큼 돌려주는 거예요.

그는 그렇게 윙크를 하고 손을 흔들며 멀어져갔다.
함께 손을 흔들다보니 문득 가슴이 뭉클했다. 힘이 들었다.
골목을 벗어난 그가 시야에서 사라질 때까지, 나는 차마 레스토랑의
문을 밀지 못했다.

그가 언젠가 한국에서 받았다던, 꼭 누군가에게 되돌려 주고 싶었던
만큼의 친절이란 어떤 것이었을까.

나는 지금의 이 뭉클함을 어떤 식의 친절로 되돌려주어야 할까.
언제, 어디에서, 누군가에게.
친절이, 그런 진심이 돌고 도는 것이라면, 언젠가 내가 누군가에게
베풀게 될 친절이, 다시금 그에게 되돌아가 닿았으면 싶었다.

내가 얼마나 고마워했는지. 얼마나 내 마음이 뭉클했는지.
꼭 다시 그에게 전해지게 된다면, 그러면 좋겠다.
언젠가, 어디에선가, 돌고 또 돌아 그 누구에게게부터든.
꼭 다시, 그에게.

라 비 앙 로즈 La vi en Rose

눈물을 대신해 목소리를 흘린다.
아직 채 덜어내지 못한 삶의 체중이 커져가는 멜로디 위로
무겁게 내려앉았다.
생의 긴 우울을 어쩌지 못해 길 위에 하소연 같은 선율을 풀어놓는 소녀.
15년치의 회한들이 신음 같은 멜로디가 되어 울려 퍼진다.

노래하는 참새.
아침을 열고 땅을 튀어 오르는 환한 얼굴.
에디트 피아프.

생을 다해 노래하고, 열정을 다해 쓰러지고 일어서던 삶.
반쯤 수그러진 눈썹 그 아래 슬픈 눈.
붉은 입술과 작은 어깨.
불꽃, 열정, 인생 같은 단어들.

그대를 바라보면 세상은 장미 빛으로 보인다며 노래하던 때.
이미 사랑은 져버렸으니, 그 노래는 결국 그리움인지, 설렘인지.
하릴없이 눈물을 닦고 코를 풀고, 옴짝달싹 할 수 없는 1인용 시트에
앉아 힘들어하다, 결국 비좁은 화장실에 기어들어가 변기에 얼굴을

묻었다.
그러고도 진정되지 않는 가슴.

non, je ne regrette rien. 아니에요, 난 아무것도 후회하지 않아요.
c'est paye balaye oubie 그 대가를 치렀고 쓸어버렸고 잊혀졌어요.
je me fous du passe. 난 과거에 신경쓰지 않아요.

노래를 들으며 생각했다.
후회하지 않으리라, 노래하는 순간이야말로 이미 많은 것들을
후회하고 있는 때이리라.
우린 살아가며 때로는 진실한 사랑을 놓쳐봐야 하리라.

그 상실의 괴로움으로 평생을 후회하며 '후회하지 않으리라'
노래해야 하는 삶은 그래서 슬프도록 기억되리라.
되도록 많은 것들에게 취해봐야 하리라.
사랑이든 이별이든 미움이든 노래든 시이든.
커다란 아픔을 품은 삶은 그리하여 더 큰 환희를 낳으리라.

끝없는 우물처럼 깊어지는 심연.
나는 지금 어느 시간을 건너는 중일까.
밀려가고 밀려오는 날짜 변경선의 사이사이에서
가슴은 내내 '길 잃음'의 표시로 위태롭게 깜박거렸다.

런던 발 도쿄 행 브리티시 에어웨이즈 B 25.
〈라 비 앙 로즈〉를 보다.

치유에
관한
조금 다른 생각

우리의 삶은 때로 보이지 않을 만큼 깊숙이 곪아 있는
기억 속의 상처, 그 통점을 덧내며 성장한다.
그리고 그것들이 사라져야 할 순간 역시 친절히 알려준다.
알 수 없이 몸이 달아오르거나, 잘 먹던 음식이 유난히 잘 넘어가지
않거나, 재밌는 이야기를 들으면서도 눈두덩이 뜨거워져
도무지 웃을 수가 없거나, 익숙했던 모든 것들이 갑자기 시시해져
견딜 수가 없을 때.

언제든, 준비가 되어 있든 되어 있지 않든, 그런 순간이 찾아오면
머뭇거리지 말고 토해내고 짜내야 한다.
억지로 참거나, 되새겨 삼키거나, 그러지 말아야 한다.

당장엔 아프겠지만, 그 상처가 얼마나 깊고 지독한 것인지 확인하게
되겠지만, 괜찮다.

방치해 두었던 아픔을 건드리고,
차마 손댈 수 없던 상처를 치료하고,
그것이 아물어가는 일을 보는 것도 행복한 일이다.
어쩌면 우리 삶의 긴 여정은, 그 여정의 참된 의미는,
영원히 티 없고 굴곡 없는 삶의 유지가 아닌,
긁히고 깨어진 것들의 점진적인 치유, 그것에 있는지도 모른다.

어느 날
고양이가
말했다

나를 오해하지 마.

너와 친해질 수 없다고,
혹은
너와 가까워지고 있다고.

고양이스러운 것.
난 그 말이 제일 싫어.

세상 단 하나의 말로 너를 다 얘기할 수 없듯이.
나 역시 다르지 않아.
나는 그저 고양이일뿐.
네가 그냥 너이듯이.

나를 오해하지 마.

너와 친해질 수 없다고

혹은
너와 점점 가까워지고 있다고.
나는 그저 고양이일 뿐.
사실, 너의 생각과 많이 다를지 몰라.

로맨틱
카우보이

너의 낡은 기타 케이스.
그 안엔 무엇이 들어 있었을까.

토스카나의 이른 새벽.
매일 아침 게스트하우스의 낡은 식탁에 마주 앉아 부실한 아침식사를
놓고 어색해 어쩔 줄 몰라 하던 우리.
그럴 때마다 너는 내 시선을 피해 낡은 기타 케이스를 어루만지곤 했지.
너와 마주친 그 일주일간, 너는 늘 그걸 곁에 두고 있었어.

어쩌면 당연히 기타가 들어 있을지도 모르지.
아니면, 곳곳이 바래진 사진이나, 이미 없어진 번호들과 이젠 불러서는
안 될 이름이 적혀진 수첩들, 가끔 울고 싶어질 때 먹을 수 있는
초콜릿과, 담배. 뭐 그런 시시한 것들이 들어 있을지도 몰라.

두 번의 마주침 후, 어색한 침묵이 영 싫었던 내가 그 안에 무엇이
들어 있느냐고 먼저 물었을 때,
너는 그저 웃으며 "아주 많은 것"이라고 대답했었지.
그 순간, 그 낡은 기타 케이스가 번쩍번쩍 빛나는 보물 상자쯤으로
보였던 건, 그때 내 마음이 너무 가난해서야.

그때의 나는 어쩐지 끊임없이 무언가를 잃어가고 있다는
기분을 지울 수가 없었거든.
영원히 끝날 것 같지 않은 허기의 시간을 살고 있었거든.

너는 미국에서 왔다고 했지, 이름은 말하지 않았어.
넓은 초원에서 소나 말을 먹이는 일을 하다 무작정 기타를 메고
여행을 시작했다던 너의 두 눈이 잠시 아련해졌어.
브로크백 마운틴Brokeback mountain.
그 순간 잭과 에니스의 소리 없는 아픔이 떠올라 내 가슴도 아련해졌지.

왜 기타 하나를 메고 이탈리아의 시골 도시까지 찾아오게 되었을까,
하는 것 따위는 묻고 싶지 않았어.
그렇게 '아주 많은 것'이 들어 있는 기타 케이스를 갖고 있는 너에게
미국이란, 그 많은 것들을 늘어놓기엔 너무 작고 속상한 곳이었을지도
모를 테니까.
그래서였을까. 늘 너의 머리 위에 씌워져 있는 카우보이모자가
조금 엄숙해 보이기까지 했던 건.

몬탈치노Montalcino.
이탈리아의 그 작은 도시에서 너는 기타 하나로 어떻게 돈을 모았을까.
그곳에서 지내는 시간 동안, 나는 부지런히 이곳저곳을 다니면서도
단 한 번도 너와 마주칠 수 없었지.
어쩌면 그렇게 부지런히
너를 피하고 있던 것인지도 몰라.

너의 벌려진 기타 케이스를 마주할 자신이
없었거든.
그 안에 들어 있는 것들을 내 두 눈으로
만져볼 용기가 없었거든.

빛바랜 카우보이모자를 쓰고,
달랑 기타 하나만이 들어 있을지도 모를
기타 케이스를 연 채 사람 없는 광장을 향해
노래하는 너를,
나는 보고 싶지 않았어.
넌 너의 꿈을 노래하고 있다고,
지치지 않는 용기를 가지고 여기까지
걸어왔다고 자랑스럽게 말할 테지만,
나는 또 그런 너의 순수를 보고
얼마나 속상해 할지.

당장 내일의 숙식 해결에서 삶의 행복을 찾기보단, 먼 훗날 내가 갖게 될
삶의 높낮음이 두려운 나 같은 사람에게 너 같은 사람이 가진
순수한 용기는 왠지 두려운 거였어.

숙소에서 너를 마주친 마지막 날,
너는 이제 그만 이곳을 떠날 것이라며 수줍게 나를 포옹했지.
천 마디 말보다 가슴 찡한 인사였어.
그렇게 찡한 가슴으로 변변한 인사도 못 건넨 채, 나는 게스트하우스의
문 앞에 서서 너를 배웅했어.
너의 뒷모습.
흔들리는 기타 케이스.
그리고 내 멋대로 그려보았던 너의 목소리가 들려왔지.
건조하면서도 로맨틱한, 너무나 담담해 차라리 눈물일 너의 노래….

나는 아직도 너를 상상해.
드넓은 평야 어딘가에서 '아주 많은 것'이 들어 있는 기타 케이스를
메고 카우보이모자를 쓴 채 어디론가 걸어가고 있는 너를.

내가 모르는 어떤 것으로 가득 찬 그 케이스로 인해, 너는 언제나
가난하지 않을 것이고, 메마르지 않을 것임을.
그리고 초라한 현재가 아닌 반짝반짝 빛나는 미래를 분명 살아가고
있을 것임을.

너의 길은 영원히 끝나지 않을 것임을.
그리고 영원히 노래할 것임을.

오늘도 이 세상 어딘가를 열심히 걸어가고 있을 너, 로맨틱 카우보이.
나는 이렇게 뒤늦은 행운을 너에게 빌고 있어.

흔적

오랜만에 방 청소를 한다.
제자리를 잃은 물건들에게 다시 한 번 그리 오래가지 않을 제자리를
찾아주는 시간.
나는 부지런을 떨며 이곳 저곳을 털고 쓸고 닦는다.

그러다 발견한 작은 상자 하나.
그곳에 두고 잊은 지 한참이나 지나버린.

조심히 뚜껑을 연다.
조금도 바래지지 않은 편지들과 노트들.
심지가 잘린 양초 하나와 녹슨 멜로디 상자.
딱딱하게 굳어버린 껌 한 조각….
누구에게 받은 건지조차 알 수 없는 물건들이 먼지도 없이 앉아 있다.

그리고 눈에 들어온, 물에 불어 말라버린 모차르트의 악보집.
나는 골똘해진다. 이게 뭐였더라.
그렇게 잠시 머뭇대다 악보의 벌어진 가운데를 갈라 편다.

그 순간,
우수수 떨어져 내리는 무언가.

허리를 숙여 자세히 바라본다.

손톱이다. 그래, 손톱이었다. 새벽하늘 눈썹달처럼 하얗게 마른.
나는 움직이지도 못한 채로 한참을 바라본다.
손톱이라니.

멍해지고 멍해지던 나는
곧, 그대로 주저앉아 버린다.

이럴 수가, 당신이, 거기에 있었다.

가만히 앉아 있으면 땀줄기가 등골을 타고 주룩 흘러내리던
유난히 덥던 내 스물 몇 해의 여름.
빛이 잘 들다 못해 온종일 내리쬐던 좁고 작았던 나의 방.

나는 막 잠이 들려던 당신을 깨워 손톱을 깎아주었다.
손톱깎이에 힘을 줄 때마다 발밑에 펼쳐놓은 악보 위로 떨어지던,
모차르트의 멜로디 같은 경쾌한 파열음.

그때,
슬머시 감기던 당신의 졸린 눈을 기억한다.
딸깍 딸깍 잘려나가는 손톱의 수가 늘어갈수록 덩달아 숙여지던

당신의 졸린 어깨.

"10년 뒤에도 이렇게 깎아줘, 나."

졸음이 잔뜩 묻어 있던 당신의 부탁.
그 소박한 바람이 귀여워 나는 혼자 킄킄댔었다.

이런,
바싹 마른 손톱조각 위로, 눈물이 떨어져 내린다.
그 동그랗고 가느다란 당신의 손톱,
어느새 잘 벼린 칼날 되어 내 가슴을 할퀴어 온다.

나는 운다.
계속 운다.

그리고,
다시는 누군가의 손톱을 깎아주는 일 따위 하지 않겠다고,
차마 버리지 못한 그것들을 다시 덮어두며 생각한다.

Part 6

쓸쓸,
이렇게나 고마운

아무리 초라하더라도, 누가 봐도 궁색한 모양새일지라도
내가 기댈 곳이 된다면, 내게 기쁨이 된다면 그것은 희망이다.
그러니, 내가 먼저 알아보면 되는 것이다.
놓치지 않으면 되는 것이다.

혼자가 아니야

아무래도 혼자 앉아 밥을 삼킬 자신이 없는 날.
비좁은 2인용 식탁 하나를 차지하고 앉아 텅 빈 맞은편을 바라본다.

무얼 먹어야 할지, 어떻게 이 쓸쓸함을 참아내야 할지.
그냥 일어나 무작정 걸을까, 한나절쯤 공복으로 버텨내볼까.
고민도 해봤지만, 아직 걸어야 할 수많은 길을 놔두고 그럴 수는 없는 일.

애써 죽어 있는 미각을 다독여 깨우고, 눈에 들어오지도 않는
메뉴판을 뒤적거린다.

이곳은 스페인의 라만차, 콘수에그라Consuegra의 작은 중국 식당.
어쩌다 이 먼 스페인 시골마을에 중국집을 열게 된 걸까, 하는 생각이
머릿속을 왔다 갔다 할 무렵.
나는 메고 있던 가방을 맞은 편 의자에 세워 놓는다.

마침내 주문을 받으러 온 주인.
오랜만에 보는 까만 눈과 까만 머리칼이 무척이나 반가워
나는 커다랗게 미소 짓는다.
그리고 잠시 오가는 침묵.

"혼자 오셨나요?"
그의 질문에 나는 잠시 머뭇거리다 맞은편의 가방을 가리키며 대답한다.
"친구와 함께예요."

싱거운 유머쯤이라고 생각했는지 주인이 멋쩍게 웃는다.
나도 덩달아 웃는다.
그 엉뚱한 유머에 절로 어깨가 들썩거린다.
무언가 절실히 그립다. 사실 그런 얘기였다.

자장면도, 탕수육도 아닌 몇 가지의 음식을 시켜놓고
나는 도란도란 가방과 얘기를 나누며 식사를 한다.

오늘 본 풍차들은 좋았는지,
혹 바람이 실려 들려온 돈키호테의 외침을 들었는지,
이미 시들어버린 양귀비 꽃밭이 못내 아쉽지는 않았는지,
늘 내 등만 바라보고 있는 게 지겹지는 않은지,
내가 무심코 지나쳐온 내 등 뒤의 삶은 어떤 모습을 하고 있는지,
끝없이 펼쳐진 안달루시아의 가을을 바라보며
너도 문득 누군가의 미소가 그리웠는지,
혹시 지금이라도 돌아가고 싶지 않은지.

그렇게 대답 없는 질문을 던져놓고 돌아오는 침묵에 서먹해진다.

식사를 마치고 가방을 멘다.
어깨 위에 내려앉은 두 개의 따뜻한 손.
문득, 혼자가 아니라는 생각에 발목에 없던 힘이 붙는다.
식당 문을 나서며 주인에게 인사를 한다.
식당 주인은 내게도, 내 등에 매달린 가방에게도
웃으며 손을 흔들어준다.
다시 마드리드를 향하며 나는 가방을 향해 정중히 얘기한다.
기운 내, 우리 남은 길도 힘차게 함께 가자.
연애하는 기분으로.
막 눈이 맞아버린 늦가을의 연인 같은 심정으로.

늘 함께 있어줘 고마워, 진심이야.

안녕,
당신

그 사이 머리카락이 많이 자랐습니다.
늦은 오후, 한쪽이 깊이 꺼진 낡은 침대 위에 앉아 빗질을 하다
무심코 든 생각입니다.
이곳에도 머리카락을 자를만한 곳은 있겠지요.
어쩌면 말이 통하지 않으니 이런저런 사생활을 묻지 않아 더욱
편안할지도 모르겠습니다. 조금은 서먹할지 모르나, 좋지요.
그런 식의 배려 깊은 침묵은.

시칠리아에 발을 디딘지도 어느덧 일주일이 흘렀습니다.
시칠리아 행 야간열차에서 뜬 눈으로 아홉 시간을 내리 지새웠던
지난 주, 그래서인지 나의 의식은 내내 힘을 잃고 있었습니다.
열 시간이 넘는 잠을 자고 나서야, 겨우 눈을 뜰 수 있는 날들이었지요.

이제야 겨우, 이렇게 안부를 묻게 됩니다.

어떤가요. 당신, 그곳에서의 삶은.
많이 웃고 있나요.

도망치듯 짐을 꾸려 서울을 빠져나오던 그때, 마지막으로 힘을 내
들러본 곳은 다름 아닌 당신의 집 앞이었습니다.
손끝으로 당신이 잠들어 있을 8개의 층을 일일이 세어본 후,
뒤돌아 공항 가는 버스를 탔지요.
가끔씩 생각이 날 때마다 몰래 찾아가보곤 하던 길이었습니다.
당신의 방, 낮게 새어나오고 있는 불빛을 볼 때마다 낯설고 추운 기분을
어찌할 줄 몰라 콧잔등이 시큰해지곤 했지만, 다행이지요. 모두가 정한
비밀번호가 없으면 들어 갈 수 없는, 당신만큼 엿보기 힘든 당신의
아파트는 언제나 그랬듯 마지막까지 나를 쉽게 돌아서게 했습니다.
당신이 끝내 보지 못한 나의 뒷모습은 아마도 많이 슬펐을지 모릅니다.

시칠리아Sicilia에 도착하던 날엔 비가 무척 많이 내렸습니다.
섬 지형인지라 기후 변화가 극심하다며, 타오르미나 행 버스 기사는
내게 멋쩍게 웃으며 말했지만, 나에겐 더없이 좋은 날씨였습니다.
나는 상실의 슬픔을 맛보려 이곳에 왔고, 되도록이면 그런 연유로
나를 많이 혹사시킬 작정이었기 때문입니다.
비가 오는 며칠 동안 그래서 나는 마음껏 망가져 있었습니다.
감기가 찾아온, 펄펄 끓는 몸속 몽롱한 의식 속에서도 나는 마음껏
내 기억의 부분들을 짓밟으며 나의 세계를 조소했습니다.
헤어짐 따위로, 이렇게 먼 곳을 도피삼아 떠나온 나라는 여자의 지나친
허영심에 관해서. 그토록 오랫동안이나 안고 버리지 못하는,
그 방부防腐된 기억의 부질없는 선연함에 관해서.
활화산 같은 시칠리아의 그라파grappa는 그런 나를 마취시키기에
충분할 만큼 뜨겁고, 독하더군요.

유난히 날이 맑아 쓸쓸한 날이면 낙소스Naxos가 보이는 전망대 벤치에
앉아 남은 오후를 보내곤 합니다.
끝없이 펼쳐진 지중해의 막연한 아름다움을 음미하며 멍하니
앉아 있다 보면, 운이 좋은 날엔 저 멀리 구름에 가려져 있던
에트나Monte Etna 화산의 정상이 보이기도 합니다.
그럴 때면 눈물이 묻은 환호성을 지르곤 하지요.
내가 당신을 떠나왔다는 사실을 피부 깊숙이 확인한 순간,
오롯이 혼자 되었음을 느낄 수 있는 순간입니다.

내 이십 대의 몇 해.
결코 짧지만은 않았던 그 시간 동안 나는 가장 가까운 곳에서
내 모든 것을 당신에게 들키며 살아왔습니다. 싫지 않은 섞임이었습니다.
오히려 더 많은 것을 내어 보이려, 나는 애쓰고 애썼지요.
나는 내 안의 아주 작은 것까지 당신에게 들키고 싶었습니다.
당신의 손에 고쳐지고 싶었습니다.
내가 가진 것 모두, 구석구석 병들어 있다고 생각하던 그때.
그때야말로 가장 건강했던 때라는 걸, 나는 아주 오랜 후에야 알았어요.
그런 부지런함과 그런 예민한 움직임 감정의 오르내림 같은 것,
지금 내게는 없는 것들.

내 모든 것을 나누어 가진 당신, 서로만의 비밀로 아름답게
묶인되어왔던 모든 치부들과 처음이던 순결함과 끝나지 않던 다툼과
덧없는 이해심 같은 것들.
나는 괴로우나, 나의 이십 대를 크고 작게 어지럽힌 당신에게
무척 고마워하고 있습니다.

언제나 서로에게 화난 사람처럼 굴었고, 그만큼 야욕적으로 서로를
차지하려 애썼던 우리. 늘 선량하지만 배고픈 짐승들처럼 서로에게
달려들었던 우리.
그렇게 서로의 피를 빨고, 상처를 핥아주었던 우리.
이제 나는 그때의 모든 다툼과 결핍들을 겨우 '사랑'이라 불러봅니다.

먹구름이 걷히고 새로운 태양이 나올 때쯤엔, 저 멀리 보이는 에트나에
올라볼 작정입니다. 그 정상에 오른다면, 새하얀 설층에 가려진채
소리 없이 끓어오르고 있을 그 화산의 뜨거운 가슴을 느낄 수 있다면,
이 편지를 보내지 않고도 나는 안심할 수 있겠지요.

우리가 유일하게 잘못한 것이 있었다면, 그때 우린 너무 어렸고,
또 너무 사랑했다는 점일 것입니다.
그리고 그것들에게 지칠 만한 나이가 되었을 때, 우리에겐 아무런
힘도 남아 있지 않았지요.

사랑이란 필경 그러한 것, 뒤돌아보면 이미 너무 늦어 있는 것.
이제는 그것의 소중한 이면을 잘 알 것도 같습니다.
먼 훗날, 내가 손 놓은 당신이 '사랑'이었음을 알고 소리 없이 주저앉게
될 날이 올런지 모르겠지만, 이제는 당신을 내 안에서 모조리 꺼내두려
합니다.

익숙한 타인으로 만나 낯선 타인으로 돌아가는 일.
이제 우리는, 사랑이 우스운 나이입니다.
부디, 부디 잘 지내세요. 당신.

시칠리아의 어두운 하늘아래, 어디에선가 영화 〈대부〉의 사운드트랙이
흐르고 있습니다.
비장한 슬픔입니다. 너무나 상투적이어서 그만 눈물이 나는 슬픔입니다.

제법 긴장이 가득한 밤입니다.
숨을 놓기에도, 사랑을 놓기에도.

언제까지나 풀지 못할 질문 하나를 가슴 안에 던져두며 펜을 놓습니다.

나는, 또 당신은 영원히 이 기억에서 도망칠 수 있을까요?
우리는, 우리를 용서할 수 있을까요?

안녕, 당신.

차가운
열정,
에트나

에트나. 시칠리아의 활화산.

까맣고 붉은 열기를 떠올리며 찾아간 그곳엔
하얀 눈이 발목 위까지 쌓여 있었다.
그리고 온몸을 아리는 추위.

몰아치는 눈보라에 분화구까지의 트래킹 코스는 포기해야 했지만,
멀리서 바라본 그 모습만으로도 마음은 이미 뜨거웠다.
도무지 있을 것 같지 않은 열기가 저 안에 숨 쉬고 있다니.

가끔 차가운 설산 아래 묻혀 있는 뜨거운 에트나의 용암을 떠올리면,

가난한 내 주머니도,
늘 막무가내인 내 삶의 방식도,
깜깜한 나의 미래도,
슬프지 않아진다.

보이지 않게 들끓고 있는 마음을 갖고 있는 한
내 삶도 아직 활화산 같은 위기를 품고 있다는 생각 때문.
언제든 폭발해 넘쳐 흐를 준비가 되어 있는,
무엇으로든 분출해 낼 수 있는 젊음을 아직은 믿기 때문.

7일이라는
시간

바티칸 시국에서 보낸 어느 하루.
저녁 미사가 있기 얼마 전, 나는 우체국에 들러 엽서를 쓴다.
언젠가 바티칸에서 보낸 엽서는 세계 어디로든 7일 후면 목적지에
도착한다고 들은 적이 있다.

엽서를 두 장 산다.
한 장은 나에게, 나머지 한 장은 아버지에게.
고요한 우체국 한 구석에 홀로 서서 낯가림하듯 삐죽대는 볼펜을
겨우 붙잡는다.
인정하기 싫었지만, 나는 할 말을 찾고 있었다.

아직 미처 화해하지 못한 두 사람이다.
내 자신과, 그리고 나의 아버지.
나는 잠시 서서 주위를 둘러본다.
나에게, 아버지께, 각각 그렇게 첫 줄을 써놓은 엽서가 온몸의 공허를
시위하듯 나를 올려다보고 있는 시간.
마른 침을 꿀꺽 삼킨다.
문득 눈물이 날 것도 같다.

바티칸 시국.
성별이 사라진 교황님과 각 국의 성직자들만이 옹기종기 두 개의
국적을 가지고 살아가는 곳.
나는 솔직해져야 한다고 생각했고, 그러자 돌연 겁이 나기 시작한다.
나에게, 그리고 나의 아버지에게 건넬 마땅한 말은 여전히 생각나지
않는다.

사실 나는 그것을 찾아 이 먼 길을 떠나왔는지도 모르는데.

할 말이 너무 많아서이기도 하고, 그 할 말을 다 할 필요는 없다는 것을
알아서이기도 하다.
나는 겨우겨우 숨죽여 고백한다.
나와, 나의 아버지에게, 각각 사랑한다는 실없는 소리를 진심을 담아
고백한다.
그리고 몇 줄의 이야기들….

스물일곱 해 동안도 건너보내지 못한 그 숱한 자괴의 언어들을
고작 일주일이라는 시간에 곁들여 건너보내자는 수작이다.
그것이 과연 쉬울 리 없다.
나는 엽서의 빈 면을 모두 모두 채우지 못한 채, 겨우 오늘의 날짜와
바티칸에서, 라는 말로 엽서를 맺는다.

숨이 가쁘다. 가슴이 떤다.
이 세상에서 가장 어려운 사람 둘에게, 누구나에게 가장 하기 쉬운
말들을 띄워 보낸다는 사실이 사뭇 대견하기도하다.

어쩌면 그것은 가장 어려운 사람들에게 가장 하고 싶었던 말이었다.
가장 하고 싶어서, 가장 해오지 않던 말이었다.

일주일이면 어디로든 사라지지 않고, 충실히 정해진 장소로 도착한다는
그 사실에 가장 먼저 생각한 두 사람.
틀림없이 도착하고 말 엽서를, 나는 나와 내 아버지에게 썼다.

2007년 가을의 바티칸 시국의 우체국.
노란 우체통 속으로 두 개의 엽서가 떨어져 내린다.
모르긴 몰라도 그 두 장의 엽서는 내내 기쁜 표정을 하고 있었을 것이다.

불량한…

불량한 것들에게 휩싸여 알록달록한 꿈을 꾸던 어린 시절처럼.
불량한 것들을 몰래 삼키고, 사 모으며 배를 앓고, 충치를 얻어가던
그때처럼,

난 별로 달라지지 않았어.

여전히 불량한 것들에게 금지된 것들에게 매혹당하지.

불량한 관계에 불량한 사랑에 불량한 사람들에게.

가끔은 어지럽지만 매번 속을 앓지만
그래서 여전히 이렇게 살고 있지만

알록달록한 위태로움을 씹어 삼키는 순간,
그래도 삶은 달콤해.

애비 로드 Abbey Road

비틀스는 그저 흘러가버린 추억이 아니야.
당당하고 정의로운, 살아 있는 현실 속의 역사야. 적어도 내게는.

언젠가 존 레넌을 닮은 그가 말했다.

이제 존 레넌을 닮은 그는 내게 사라져버린 추억 속의 하찮은 역사가
되었지만, 그가 가끔 들려주곤 했던 비틀스의 음악은 이제 겨우 내게
현실의 역사가 되어가고 있다.

그렇게 애비로드에서 오후를 보내며 비틀스와
흘러간 시간들에 대해 생각했다.
추억은 그곳에서 점차 소실되어 가고, 나는 이곳에 현재의 역사가 되어
생생한 질감의 현실적 기록으로 남겨지고 있다.

비틀스를 들으며 이제 나는 더 이상, 그를 생각하지 않는다.

그들만의 처방전

김이 모락모락 올라오는 진한 핫초코 한 잔과 노릇한 열기가 가득한
추러스 한 덩어리.
나는 대책 없이 그것을 바라보고만 있었다.

스페인의 론다.
전날 나는 무슨 이유에서인지, 홀로 만취했고, 무언가 따뜻하고
속이 불편하지 않은 아침식사가 필요했다.

간단한 스프를 먹을까, 커피 한 잔을 할까.
침대 위를 엎치락뒤치락.
그렇게 한 시간쯤을 고민하다 대충 옷을 걸쳐 입고 길을 나섰다.

비르엔 데 라파스 거리.
아침을 시작하는 사람들이 옹기종기 모여 있는 작은 카페.

메뉴판을 들고 고민하는 내게, 그들은 스페인에 왔으니 이것쯤은
먹어보아야 한다고 했다. 그들만의 아침식사.
주위를 둘러보자 모두들 노랗게 튀겨진 빵 덩어리에 핫초코 한 잔을
들고 있다.

나는 선뜻 고개를 끄덕이지 못했다.
술기운으로 어질어질한 속에 기름져 보이는 빵과 달달한 초콜릿은
아무래도 감당이 안 될 것 같았기 때문.
어떡할까.

그렇게 오랫동안 고민하던 내게 옆 테이블의 누군가 소리쳤다.

"걱정 말고 먹어봐. 이 속에 진짜 스페인이 들어 있어."

습관적으로 초콜릿을 찾아먹던 때가 있었다.
생이 하찮아 견딜 수 없거나, 까닭 없는 허기가 밀려올 때,
갑자기 먼 길을 떠나고 싶어지거나, 내가 가진 모든 것에게 서운할 때,
그렇게 숨 쉬는 1분 1초가 겹겹이 속상할 때.
멍하니 입 안 가득 초콜릿을 밀어 넣고 우물우물 거리다보면
'괜찮구나, 별거 아니구나' 하는 생각이 들곤 했던,
달콤하고 쓰고 진한 그 느낌에 살이 찌고 있다는 사실도,
이가 상해가고 있다는 사실도 아무렇지 않았던 시절.

그리고 오랜 후에 사람의 몸을 이야기 하는 잡지에서 나는
새로운 사실 하나를 발견하게 되었다.
초콜릿에 '페닐에틸아민'이라는 항 우울 성분이 들어 있다는 것.
페닐에틸아민.
사랑에 빠졌을 때, 뇌가 분비하는 화학 물질과 동일한 성분.
에너지 수위를 높이며, 심장 박동수를 높여 가슴이 설레어지는 느낌을
줌.
연애 감정의 기복에 관여하며, 실연에 빠지면 생성이 중지된다.

나는 무릎을 치며 생각했다.

아, 그때 나는 연애하고 싶었구나.
사랑받고 싶었구나.
달콤한, 쌉쌀한, 진하고 깊은 같은 단어들에게 매달리고 싶었구나….
외로웠구나.

스페인의 작은 도시에서 아침을 맞으며, 나는 초콜릿을 마셨고,
짭짤하고 쫄깃한 추러스 한 덩어리에서 '진짜 스페인'을 발견했다.
사랑과 연애.
그 뜨겁고 달콤한 열정의 기본 에너지.
매일을 사랑으로 시작하고 사랑으로 닫는 그들의 타고난 뜨거움.
그 비밀을 알게 된 것 같아 설레였다.

아침에 먹는 쫄깃한 추러스와 핫초코 한 잔.

그것은 숨김없이 사랑하고 뜨겁게 일상과 연애하는 그들을 위해 마련된

그들만의 처방전일지 모른다.

혹여 오늘 사랑 때문에 가슴 아팠을지라도 괜찮다.

내일 아침 뜨겁게 데운 핫초코 한 잔이면 다시 사랑할 수 있는 뜨거운

가슴을 가지게 될 테니.

그렇게 나는 스페인에 머무르는 동안 매일 밤 이별하고(무엇과든),

매일 아침 다시 사랑했다.

어쩌면 마음에 잘 드는 알약 같은 그들만의 아침식사가 있어 가능한

일이었는지도 모른다고, 내 마음대로 그렇게 생각해 버렸다.

Part 7

돌아오다, 돌아보다

어느 곳에서든 미련 없이 떠나야 할 때와 뒤돌아서야 할 때를
아쉬움 없이 배워나가는 게 여행이라면
나는 여행을 하지 않은 것인지도 모른다.
어쩌면 이 모든 것을 배우기 위해, 나는 다시 떠나야 하는 것인지도 모른다.

친구

길에서 만난 사람과 친구가 되긴 어렵다.
그러나 한 번 친구가 되면 헤어지긴 더 어렵다.
—닐 도날드 월쉬 Neale Donald Walsh

10월의
마지막
밤과
리버피닉스

10월 31일. 마드리드.

새카맣게 죽어버린 엄지발톱을 바라보며 맥주를 마셨다.
어디서부터 잘못된 걸까.
알아채지 못한 사이 몸 곳곳이 망가져가고 있었다.
조용히 새겨지는 흔적들.
새 발톱이 자라날 때까지 나는 내내 이 여행에서 벗어나지 못할 것이다.

반나절을 프라도미술관에서 써버린 뒤, 모든 게 귀찮아졌다.
더 이상 아무것도 하지 말자, 생각하며 무작정 걸었다.
곧 힘들어졌다.
아무것도 하지 말자 생각을 하니 하고 싶은 일들만 머릿속을
한가득 채웠다.

두어 번쯤 찾아갔던 식당엔 오늘도 손님이 별로 없다.
궁색하게 놓인 야외 테이블에 앉아 줄곧 내 곁에서 연주를 해주던
아코디언 연주자에게 동전 몇 개를 건네주었다.
정중히 답례를 하고 멀어지는 그.
하릴없는 연주가 끝난 후, 자리를 뜨는 그들의 뒷모습은

언제나 아름답지 않다. 쓸쓸하고 고단해 마음만 아프다.
언젠가 내 아버지의 뒷모습에서 저런 쓸쓸함을 본적이 있다.

음식이 나왔다. 아, 역시 오늘의
파에야 Paella 스페인의 전통 요리. 여러 가지 해산물을 재료로 만드는 볶음밥의 한 종류 도 짜구나.
이로써 스페인에서 먹은 4개의 파에야 모두 실패다.

식사를 하며 b에게 엽서를 썼다.

황소가 그려진 작은 사각형의 종이는 무척이나 작았으나 별달리 쓸 말이
생각나지 않았으므로 무척이나 커보였다.

이런저런 멋진 말들을 생각하다 점 하나를 그려 넣었다.
잘 살아 있음의 표시쯤으로 알아두려니.

'서울시…'로 시작하는 주소를 쓰다 눈이 붉어졌다.
다시 돌아가 현실에 부대끼며 살아가야 할 날들이 벌써부터 눈물겨웠다.
싫어서가 아니었다.
등져 돌아온 나를 두 팔 벌려 맞이해줄 곳이 있다는 사실이 고마웠고,
새삼 설레였기 때문이었다.

10월의 마지막. 어느덧 여행을 떠나온 지 70일이 되는 날.
그리고 오늘은 리버피닉스가 세상을 떠난 날이기도 하다.
해마다 오늘이 찾아오면, 나는 못 버틸 만큼의 술을 마시고 리버피닉스의
영화를 보다 아무 곳에서나 잠들곤 했었다.

언제였던가. 그가 극심한 난독증 환자라는 말을 들은 적이 있다.
제대로 글을 읽어내지 못하는 것이나, 눈앞에 둔 생을 제대로
읽지 못하는 것이나 모두 힘겨운 난독의 시간들일 것이라 생각하니,
난독을 겪던 그의 답답함을 나도 어렴풋이 이해할지도 모르겠다는
생각이 들었다.

버젓이 펼쳐진 세상을 들여다보고도 읽지 못하는 것.
더듬더듬 세상을 겨우 짊어지며 살아가는 누군가에겐 충분히 이해
가능한 고통일 것이다.

관광객들이 사라진 마요르 광장Plaza Mayor.

숙소까지 걸을까, 지하철을 탈까를 고민하는 사이 어느새 두 발은

숙소에 도착해 있었다. 한층 더 싸늘해진 공기.

불 꺼진 계단을 오르다 문득, b에게 쓴 엽서를 식당 식탁 위에

두고 왔다는 사실을 깨달았다.

유난히 새까만 하늘.

드문드문 박힌 하얀 별.

페르시아 브라운에 취해 길거리에 쓰러졌던 리버피닉스의

마지막 하늘도 저러했을까.

숙소에 들어와 모두들 잠들어 있는 방문을 연다.

고요한 어둠 속에 몸을 뉘이고 눈을 감는다.

20대의 마지막 여행, 그리고 10월의 마지막 밤.

리버피닉스도, 사랑하는 이도 곁에 없는 지금 나는 이렇게 난독에

허덕이는 가슴으로 마드리드 한복판에서, 잠들고 있다.

어느 날
문득

11월. 스페인.
하루 만 원짜리 침대에서 잠을 자고 누가 먼저 샤워실을 쓸세라
급히 일어나 몸을 씻었다. 온몸이 구석구석 아팠다.
어젯밤 오래도록 가위에 눌렸다.
12년 전 세상을 떠난 친구가 밤새도록 내 곁에서 울고 있었다.

감지 않은 머리와, 로션만 바른 무척이나 무성의한 얼굴로 숙소 주변을
걸었다. 빨간 신호가 유난히 긴 횡단보도 앞에 서 있는 동안, 문득 이제
그만 돌아가야겠다는 생각이 들었다.

한참 동안 섞이지 못하고 걷다 발견한 허름한 식당.
궁색하기 그지없는 메뉴 판 속 사진을 보며 가장 맛있게 생긴 파스타를
주문했다.
비노vino?
서버의 물음에 고개를 저었다.
술을 이겨낼 자신이 없었다.
몇 개의 갈색 머리칼을 골라내며 파스타를 먹는 동안,
문득 여행하는 사이 잃어버린 몇 가지가 생각났다.
밀라노 행 열차에 두고 내린 목도리.

숙소에서 잃어버린 몇 개의 슬리퍼와 비누.
유통기한이 3일쯤 지나 있던 참치 캔.
엄마의 사진.
조기축구회에서 받아온 1995년 4월 14일의 수건.
그리고 너의 마음.

숙소를 향해 돌아오던 길 하늘엔 보름달이 떠 있었다.
해를 두고 기다려온 이 여행의 끝자락.
나는 지금 무척 아프다.

'꿈 없는 긴 잠에 빠졌으면 좋겠다'고 생각하며 아무도 없는
12인용 도미토리에 몸을 뉘였다.
아직은 견딜만한 한기.
겨울이 오고 있구나.
이불을 머리끝까지 올려 덮었다.

잠에서 깨자 오랜만에 울린 로밍 폰으로 '크리스마스트리, 집 앞까지
배송'이라는 영문 문자가 도착해 있었다.
멍하니 그 문자를 들여다보다 서울에 있는 언니에게 전화를 걸었다.

이번 크리스마스엔 여느 때보다 화려한 트리를 만들자고.
그 트리 아래서 우리 중 아무도 외롭지 말자고.

반성문

십년 단위의 삶을 두 번 넘게 살고도 아직 발견하지 못한 나를
발견하고 기뻐하는 게 여행이라면 나는 여행을 하지 않은 것인지도 모른다.

새로운 길 위에 마음이 묶여 내 삶의 일부를 부려놓고 내가
살던 곳에서의 현실을 모조리 잊어버리기도 하는 게 여행이라면
나는 여행을 하지 않은 것인지도 모른다.

우연히 내 마음 한쪽을 내어주게 된 사람들을 만나고
그 인연의 무게가 무거워 돌아온 후 내내 무거운 가슴을 뒤척이는
날들이 늘어가는 게 여행이라면
나는 여행을 하지 않은 것인지도 모른다.

살며 쌓아왔던 모든 습관과 생활 방식을 허물어버리고
그곳에 삶의 새로운 이름을 새겨 넣고 오는 게 여행이라면
나는 여행을 하지 않은 것인지도 모른다.

나도 모르게 그곳에 두고 온 것들이 생각나 현실에 발을 딛고도
낯익은 길을 낯설게 잃기도 하는 게 여행이라면
나는 여행을 하지 않은 것인지도 모른다.

떠난 그곳에서 잊어야 할 사람을 모두 잊고 돌아왔다고 말할 수 있는 게
여행이라면 나는 여행을 하지 않은 것인지도 모른다.

지도에 없는 마을이나, 예상 못한 막다른 길을 마주치고도
더 이상 머뭇대지 않는 힘이 생기는 게 여행이라면
나는 여행을 하지 않은 것인지도 모른다.

어느 곳에서든 미련 없이 떠나야 할 때와 뒤돌아서야 할 때를
아쉬움 없이 배워나가는 게 여행이라면
나는 여행을 하지 않은 것인지도 모른다.

어쩌면
이 모든 것을 배우기 위해, 나는 다시 떠나야 하는 것인지도 모른다.

자화상

그녀가 나를 본다.

잡티가 가득한 피부, 눈 꼬리가 유난히 치켜 올라간 눈,

그 밑 두어 개의 눈물 점, 며칠째 다듬지 않아 지저분히 자란 눈썹,

군데군데 터져 갈라진 입술, 사방으로 화를 뿜어내듯 붉게 오른

두 눈 속의 핏발과 초점 없는 눈동자.

손가락을 가지런히 모아 결이 곱지 않은 얼굴선을 매만져본다.

갸름하지도, 그렇다고 각이 지지도 않은 애매한 모양의 얼굴.

그녀는 언제나 그런 자신의 얼굴선이 마음에 들지 않았다.

아주 갸름하거나, 아니면 아주 동그란 얼굴이고 싶었다.

그렇게 분명한 얼굴형을 가졌다면, 그랬다면 자신의 얼굴형에 어울리는

옷이나 액세서리를 망설임 없이 골라가며 살 수 있을지도 모른다고

생각했다.

그건 나한텐 안 어울리는 거잖아.

함께 쇼핑을 나온 친구에게 힐난하듯 대답할 수도 있을 거라 생각했다.

그녀는 언제나 우유부단한 자신의 쇼핑 습관을 마음에 들지 않아 했다.

그리고 그런 습관 속에 감춰진 자신의 성격이, 삶의 전반에 걸쳐져 있는

'우울'의 보이지 않는 근원이 되고 있을지도 모른다는 생각에

자주 잠을 설쳤다.

선택의 연속일 뿐인 삶이 피곤하기만 했던 것은 그래서 당연했다.
그녀는 날이 갈수록 애매모호한 판단력을 가지게 되었다.
그리고 여전히, 삶은 피곤했다.

그녀의 메마른 손가락이 얼굴선을 타고 지나 목선을 지나기 시작한다.
어느새 하나 둘씩 주름이 눈에 띄기 시작한 목이다.
불과 몇 년 전까지만 해도, 까놓은 달걀의 표면처럼 매끈했던 목이다.
얼마나 많이 고개를 숙이며 살아온 걸까.
땅을 보며 걷는 버릇이라던지, 남보다 조금 높은 베개를 좋아한다던지
하는 작은 습관 따위는 이런 변화에 크게 영향을 주지 않았을 것이다.
그런 사소한 것들에 이유를 두기엔 그녀의 목은 짧은 시간 사이
너무나 많이 변해 있었다.

속상한 마음으로 목 사이사이의 주름을 짚어보던 그녀는
언젠가 보았던 모딜리아니 그림 속의 여자들을 떠올리며
고개를 가만히 옆으로 기울어본다.
잔느. 기다란 목과 새하얀 피부, 동공이 없는 두 눈만으로도
충분히 서글펐던 그 그림 앞에서 그녀는 종종 무너지곤 했었다.
이 세상에 슬픔이라는 것의 정의가 존재한다면 분명 저 텅 빈 두 눈 속에
보이지 않는 그 무엇으로 자리 잡고 있을 것이라는 생각을 하며,
밤 새워 모딜리아니의 모작 앞에 앉아 술을 마시다 잠들기도 했다.
스물의 절반을 막 지나던, 몸도 마음도 모두 가난했던 시절의 이야기다.

미세한 눈가의 주름들과, 이제 막 생기기 시작한 기미들,
점점 탄력을 잃어가고 있는 눈밑과, 탁해진 동공,

해가 갈수록 점점 아래를 향하는 가슴의 곡선과 생기 없는 표정.
한때 누군가의 사랑에 한껏 벌려지던, 이제 그녀의 세상에는 없는
사랑의 언어들을 품고 있던 빛바랜 입술까지.
세상을 알아갈수록 그 값으로 내어주어야 할 것들은 자꾸만
늘어가고 있었다.

아무렇게나 자라나 있는 머리칼을 대충 올려 묶는다.
몇 주째 겹겹이 쌓여온 여독으로 혼미해져 가는 정신을 애써 다잡아가며
그녀가 나를 노려본다.
이제 이십 대의 막바지에 서 있는 그녀.
두 번의 긴 사랑과, 두 번의 지독한 이별을 후에 이미 생의 절반을
살아버린 기분이 들어 좀처럼 사는 게 귀찮아져 버리기도 했던 그녀.

그녀가 나를 바라본다.
도무지 그녀인지 나인지 웃고 있는지 울고 있는지 알 수 없는 얼굴이다.
보고 싶지 않아도, 언제든 마주쳐야 하는 얼굴이다.
누구보다 잘 알고 있는 참, 가슴 아픈 얼굴이다.

노래로
남은
이야기

며칠째 비가 내려.
가을이 지나간 낯선 이 도시엔…….

새로운 하늘과 혼자임에 길들어 가고 있어.
넌 어떻게 나를 잊어가니?
어디라도 좋았어.
너로 가득하던 서울이 아니라면….

누군가를 잊으려 떠난다는, 참 흔한 그 말.
결국엔 그 변명에 숨어버린 나지만….

아무리 가지려 애를 써도 보란 듯이 떠나가는 게 있어.
소중했던 사랑이 기억들이.
이루어질 것만 같았던 그 약속들이.

나에게만 아픈 이별인 걸까?
너에게도 힘든 일이었을까?
그 언젠가 함께 보자 했던 그 풍경 속에 혼자 서 있어.
눈감아 너를 그리며….

쉼 없이 거리를 걷다 길을 잃을 때면 떠오르는 네 얼굴.
붉어진 두 눈은 애써 감추지 않아도 돼.
여긴 나를 모르는 낯선 사람뿐인걸.

이 여행의 끝 무렵엔 너의 맘을 조금은 알게 될까?

이대로 후회하지 않을까? 너와 나 정말 잘한 일일까?
변치 않는 사랑이란 없듯이 영원한 미움도 없단 걸 알게
된 지금.

넌 나에게 좋은 사람이었어.
네가 있어 힘껏 살 수 있었어.
시간 흘러 나 돌아간대도 이 편지, 보내지 못할 거야
고마운 내 사랑 안녕….

여행에서 돌아와 나는 이런 노랫말을 썼다.
몇 줄의 메모로 시작하다 갑자기 노래로 만들어졌으면 하는 생각이 들어
노랫말로 이어나갔다.

이 책을 마무리하고 있는 지금, 아직 언제, 누구의 손에 의해
어떤 멜로디를 입게 될지 모르지만, 이 노랫말을 쓰는 동안 내 마음은
적잖이 울렁거렸다.

내 여행 수첩의
맨 마지막 장, 보내지 못한 엽서의 일부분이
이렇게,
노래가 되어 남겨졌다.

작지만
커다란
발견

서른이 되어도, 어차피 나는 많이 변하지 못할 거라는 사실.
나잇값 제대로 못하는 삶도 지금과 별반 다르지 않을 것이고,
천지개벽이 일어나지 않는 한 타고난 불안과 외로움과 나태와 예민함도
크게 나아지지는 않을 것이란 사실.

열 살 때도 스무 살 때도 그랬듯이, 모든 것은 다 지나간 뒤에야
제대로 보인다는 사실.
늘 여행의 끝에 다다라서야 떠나왔던 이유를 깨닫게 되듯이.

그러니 지금부터 너무 엄숙해지지 말자.

그저 스물아홉 다음엔 서른.
거기까지만 생각하면 되는 거야.

나의
여행

나의 여행은 몸보다 주머니가, 주머니보다 마음이 가난한 여행이었다.

나의 여행은 보다 값싼 방을 찾아 반나절을 걷기도 하는 여행이었다.

나의 여행은 걷는 일에 취해 아끼던 신발 두 켤레에 구멍을 내버린
여행이었다.

나의 여행은 당신의 전화번호를 누르기 위해 한나절을 망설여야 하는
여행이었다.

나의 여행은 매일 꿈 같은 현실을 살고 현실 같은 꿈을 꾸는 여행이었다.

나의 여행은 길 위의 모든 것과 손잡고 싶게 되는, 그리하여 내 삶의
비위가 조금 더 강해졌다고 느낀 여행이었다.

나의 여행은 때론 이른 추위에 낯선 동네 한 바퀴를 무작정 뛰게 만드는
여행이었다.

나의 여행은 모든 것이 끝난 뒤 떠나온 곳으로 돌아가 당장의
통장 잔고를 걱정해야 하는 여행이었다.

나의 여행은 낯선 이와의 눈 맞춤에서 작은 낭만을 발견하는 여행이었다.

나의 여행은 잊어야지 할수록 내가 사랑하는 이의 얼굴이 분명해지는
여행이었다.

나의 여행은 작은 동네의 작은 구멍가게에서 유통기한이 지난 빵을 먹고
탈이 나기도 하는 여행이었다.

나의 여행은 조건 없이 따뜻한 사람들을 만난 뒤 먹지 않아도 배가 불러

당황스러운 여행이었다.

나의 여행은 나를 속이려는 누군가와 낯선 언어로 싸울 수 있는 용기를
갖게 하는 여행이었다.

나의 여행은 짐과 함께 마음을 풀어버린 몇몇 곳에서 내내 신원이
불확실한 사람이 되어 영원한 불법의 삶으로 떠돌고 싶기도 했던
여행이었다.

나의 여행은 푸른 하늘을 만나는 날이면, 화해하지 못한 자들에게
거침없이 화해의 편지를 적어 내려가는 여행이었다.

나의 여행은 두 번 다시 돌아오지 않을 20대의 마지막에 온몸을 다해
매달린 여행이었다.

나의 여행은 문득문득 낯선 나와 마주쳐 반가운 마음에 스스로를
껴안기도 했던 여행이었다.

나의 여행은 옳다고 생각해온 많은 것들이 다 틀렸다는 걸 알게 한
여행이었다.

나의 여행은 그 틀림을 앎으로 인해 삶이 한층 더 유연해짐을 느끼는
여행이었다.

그리하여 나의 여행은 영원히 이 여행을 멈출 수는 없을 것이라는,
언제고 나는 다시 떠나게 되리라는 숙명 같은 사실 하나를 알게 된
여행이었다.

지금,
당신,
사랑하고
있습니까?

내가 좋아하는 한 작가의 책은 이런 문장으로 끝이 나요.

사랑해야 한다.

나는 가끔 그 책을 꺼내 책의 맨 끝장을 펼쳐놓고 그 한 문장을
수십 번씩 읽고는 해요.
딱히 사랑이 버거울 때라든지, 그리울 때말고 비타민을 먹듯,
목마르지 않음에도 몸을 위해 물 한 잔을 마시듯, 아무 때나, 자연스럽게요.

나는 사랑에 대하여는 늘 내 방식대로의 맹목이었기에, 똑똑한 대답을
알지 못해요.
그래서 내 사랑은 대부분 건강하지 못했고, 손발이 맞지 않아 자주
뒤뚱거렸고, 그만큼 또 자주 탈이 났지만 적어도 스스로를 속이지 않고
있다는 점에서 늘, 행복했어요.

사랑을 빼고 나의 20대를 어떻게 설명해야 좋을지, 반대로
그 한 가지라면 나의 20대는 충분히 설명이 가능해요.
요컨대 나는 사랑에 살고 사랑에 죽는, 어찌 보면 현실적이지 못한
조금은 멍청한 여자일지 모릅니다.

생을 살아갈수록 사랑 말고 더 중요한 게 많다고 사람들은 말하지만,
나는 유독 거꾸로 걸으며 사는지 갈수록 사랑이 중요하고 소중합니다.
세상을 살며 무언가를 하기에 늦은 나이란 없는데 내겐 그중 사랑이
특히 그런 것 같아요. 멈추지 말고 쉼 없이 마음을 나누어주고,
상처받고, 치유하며 생의 틈을 채워나가는 일.
내게 사랑은 그래서 삶 그 자체에 다름 아닌 말입니다.

나의 20대를 지탱해준 많은 요소들.
나를 안아주고 감싸준 사람들과 따스한 만큼 또 상처를 주고 멍들게 한 사
람들의 얼굴.
생각하면 고맙습니다.
그 시간들이 없었다면, 과연 나는 살 수 있었을까요, 쓸 수 있었을까요.
언젠가 문득 뒤돌아 봤을 때, 이를테면 이제 서른을 막 관통해야 하는
이런 시기에 뒤돌아 본 그곳에 사랑이 없었다면 아마도 많이 서글프지
않을까 생각합니다.
요컨대 사랑은 삶을 숨 쉬게 하는, 보이지 않으나 분명 그곳에 있는
공기와 같고, 때때로 사랑으로 인해 얻은 멍들은 먼 훗날 어느 노래의
가사처럼 푸른 청춘이었다 불러볼 수 있을 테니까요.

그리하여 이제 이십 대의 마지막, 올해의 첫날이 밝아 오는 새벽,
나는 책상 위에 또 한 번 크게 적어둡니다.

필요한 건, 사랑.

그리고 이 글을 마치며 조심스럽게 묻고 싶어요.

지금, 당신, 사랑하고 있습니까?

작가의 말

때로, 삶이 가진 속도에 대해 생각한다. 삶의 높낮이에 따라 빨라지기도 느려지기도 하던, 그 상대적인 흐름에 이리저리 휘둘리던 내 이십 대를 생각한다. 그 속도에 이끌려 할 수 없이 짐을 꾸려야 했던 시기, 떠나지 않고서는 도무지 배겨날 수 없던 몇몇의 시기를 거치는 동안 나의 이십 대는 완성되었다.

그렇게 푸르고 비린 이십 대를 보내는 동안, 자꾸만 내 이상과 멀게만 펼쳐지는 현실도 그럭저럭 살 만하다는 사실을 알게 되었다. 그리고 그 안에서 내가 가진 '삶의 환상'이란 펼치면 펼칠수록 낯설어지는 기분을 어쩌지 못하는 그 무엇이라는 사실도 깨닫게 되었다. 그런 의미에서 나의 이십 대는 현실 적응과 부적응 사이의 이해변경선 안에서 끊임없이 방황하는 비행이었는지도 모른다.

서른 됨이 내 인생에 있어 커다란 전환점으로 자리했으면, 하는 바람은 이제 없다. 여행을 통해 알게 된 아주 고마운 사실 중 하나다. 그저 이렇게 흘러가고 잘 섞여간 후에 비로소 알게 되는 것이 우리가 흔히 외치는 그 '좋았던 시절'이란 것을 이제 알게 되었다. 나의 서른은 아마도 마흔쯤이 되어야 제대로 보일 것이다. 그러니 자연스럽게 맞이해야지.

역시나 별로 유명해지지 못할 노랫말을 쓰고, 사진을 찍고, 다시 한 번 짐

을 싸고 사랑을 하는 동안 나의 삼십 대는 완성되어 갈 것이다. 누군가 내
게 네 삶의 궁극에 대해 묻는다면 지금껏 그랬듯 "그저 배고프지 않게 예
술할 수 있는 삶"이라 철없이 대답하며 그렇게 유유히 흘러가고 싶다. 다
만 떠나고 싶을 때 주저 없이 떠날 수 있는 용기만은 변치 않고 그곳에 있
어주기를 소망한다.

이십 대의 마지막, 나는 90일이 넘는 긴 여행을 떠났고, 곳곳에서 메모를 했
다. 그 '순간'의 기억들을 유리병에 넣어 보이지 않는 누군가에게 흘려보
내는 심정으로 이 책을 내놓는다. 나의 이 진심이 우리 생의 이런저런 해류
를 지나 거기 당신과, 또 당신에게 전해지길 바란다. 반짝 하는 섬광이 되
어도 좋겠고, 잔잔한 햇볕이 되어도 좋겠다. 나와 같은 시기를 살고 있는 사
람이어도 좋겠고, 이제 이 시기를 관통해 나보다 한층 더 멀리 살고 있는 사
람이어도 좋겠다. 우리 모두에게 이십 대란, 같은 이름의 상처이자 빛나는
훈장과 같고, 누구나 힘껏 노를 저어 앞으로 나아갈 수밖에 없는 바다 위의
항해와 같기에 당신도 나의 글 속에서 함께 고개를 끄덕이길 바란다.
고마운 사람들이 많다. 함께 해준 정아, 늘 고마운 규호, 내 생의 오랜 지표
고은, 이리저리 부비적거릴 수 있게 해준 민호와 지아, 그리고 나의 가족.
길 위에서 만난 모든 사람들과, 한 날 한 날 내 머리 위에 펼쳐져 있던 하늘
과 바람에게도 고마운 마음을 전하고 싶다. 그리고 그 길 위에서 나와 함
께 해준 모든 음악과 이야기들에게도.

곧 다가올 서른의 전야. 이렇게 내 스물아홉의 마지막 전야제를 담담히 마
친다.

그 해 여름, 장연정

우리 젊은 날의 마지막 여행법

소울 트립 *Soul Trip*

ⓒ 장연정, 신정아

미니 북 1쇄 인쇄 2016년 6월 24일 **미니 북 1쇄 발행** 2016년 7월 1일

글 장연정 **사진** 신정아

펴낸이, 편집인 윤동희 **기획위원** 홍성범 **디자인** 한혜진 **제작처** 영신사

펴낸곳 (주)북노마드
출판등록 2011년 12월 28일 제406-2011-000152호

주소 04003 서울시 마포구 월드컵로 12길 45(서교동 474-8) 2층
전화 02-322-2905 **팩스** 02-326-2905 **전자우편** booknomadbooks@gmail.com
페이스북 booknomad **인스타그램** booknomadbooks **트위터** @booknomadbooks

ISBN 979-11-86561-26-3 04810
      979-11-86561-25-6 (세트)

○이 도서의 국립중앙도서관 출판예정도서목록(CIP)은 서지정보유통지원시스템
  홈페이지(http://seoji.nl.go.kr)와 국가자료공동목록시스템
  (http://www.nl.go.kr/kolisnet)에서 이용하실 수 있습니다.
  (CIP 제어번호: CIP2016014410)

www.booknomad.co.kr